189

Mamie gangster

David Walliams

Mamie gangster

Illustré par Tony Ross

Traduit de l'anglais (Royaume-Uni)
par Valérie Le Plouhinec

Witty
Albin Michel Jeunesse

Titre original :
Gangsta Granny
Édition originale publiée au Royaume-Uni en 2011
par HarperCollins Children's Books, une division de HarperCollins Publishers Ltd
© David Walliams 2011 pour le texte
© Tony Ross 2011 pour les illustrations
Le droit moral de l'auteur et de l'illustrateur a été respecté

Pour la traduction française faite en accord avec HarperCollins Children's Books :
© 2013, éditions Albin Michel Jeunesse
22, rue Huyghens, 75014 Paris – www.albin-michel.fr
Loi n° 49-956 du 16 juillet 1949 sur les publications destinées à la jeunesse
Dépôt légal : premier semestre 2013
ISBN : 978-2-226-24720-9 – ISSN : 2262-4333

Pour Philip Onyango...

le petit garçon le plus courageux que je connaisse.

1.

Un fumet de chou

– Mais mamie est vraiment trooooop barbante, se lamenta Ben.

Cette conversation se déroulait en novembre, par un vendredi soir glacial. Le garçon, comme d'habitude, était affalé sur la banquette arrière de la voiture de ses parents. Et une fois de plus, il s'en allait dormir chez son assommante grand-mère.

– Barbante comme *tous* les vieux, ajouta-t-il.

– Ne parle pas comme ça de ta mamie, le gronda mollement son père, dont la bedaine s'écrasait contre le volant de leur petite auto marron.

– Mais je déteste aller chez elle ! Sa télé est cassée, elle ne pense qu'à jouer au Scrabble, et en plus elle sent le chou !

– Le petit n'a pas complètement tort sur ce coup-là : c'est vrai qu'elle sent le chou, confirma la mère de Ben en appliquant son rouge à lèvres.

– Tu ne m'aides pas, ma femme. À la limite, je veux bien admettre qu'elle dégage un léger fumet de légumes bouillis.

– Je ne pourrais pas plutôt venir avec vous ? J'adore ça, la danse machin-truc, mentit Ben.

– La danse de salon, le corrigea son père. Et non, tu n'aimes pas ça. Tu nous as déjà dit, je cite : « Plutôt manger mes crottes de nez que regarder ces âneries. »

Seulement voilà : les parents de Ben, eux, étaient des passionnés, des fanatiques de danse de salon. Il lui arrivait même de songer qu'ils adoraient la danse plus qu'ils ne l'aimaient, lui. Tous les samedis soir, ils regardaient à la télévision une émission intitulée *Master Danse avec les Stars*, qu'ils n'auraient manquée pour rien au monde. C'était un concours dans lequel des célébrités évoluaient en couple avec des danseurs de salon professionnels.

S'il y avait eu le feu chez eux, et si sa mère avait eu le choix entre sauver *sa* chaussure de claquettes dorée ayant appartenu à Flavio Flavioli (l'éternelle vedette de l'émission, un bellâtre italien, luisant et bronzé) et sauver son fils unique, Ben pensait qu'elle aurait probablement choisi la chaussure. Et ce soir, ses parents se rendaient dans une salle de spectacle pour assister à l'enregistrement en direct de *Master Danse avec les Stars*.

– Je ne comprends pas, Ben, que tu n'aies pas encore renoncé à ce rêve absurde de devenir plombier et que tu ne te lances pas dans une carrière de danseur professionnel, déclara sa mère. (Comme la voiture sautait sur un ralentisseur particulièrement efficace, elle eut la joue zébrée d'un grand trait de rouge à lèvres. Il faut dire qu'elle avait coutume de se maquiller en voiture ; c'est pourquoi elle arrivait souvent à destination avec une tête de clown.)

Imagine, tu aurais peut-être une chance de passer un jour dans *Master Danse* ! ajouta-t-elle, visiblement émoustillée à cette idée.

– Je ne le ferai pas, parce que c'est complètement ridicule, répondit Ben.

Maman poussa un petit gémissement et prit un mouchoir en papier.

– Tu énerves ta mère, Ben. Maintenant, sois gentil et tais-toi un peu, répondit fermement papa en montant le son du lecteur de CD.

Il écoutait évidemment la « compilation officielle » de *Master Danse* ; le boîtier du disque était titré « Les 50 plus grands succès du fameux concours de danse ! » Ben haïssait ce CD, principalement parce qu'il l'avait déjà entendu environ un million de fois. Il l'avait même tellement entendu que c'était de la torture.

Sa mère travaillait dans un salon de soins des ongles, *Chez Manu la Manucure.* Comme les clientes ne s'y bousculaient pas, elle et sa patronne (prénommée Manu, comme on pouvait s'y attendre) passaient le plus clair de leur temps à s'occuper mutuellement de leurs mains. Elles brossaient, limaient, polissaient, sous-couchaient, séchaient, laquaient, et peignaient des ongles artificiels en plastique à longueur de journée (sauf quand une émission de Flavio Flavioli était diffusée à la télé dans l'après-midi). Résultat : maman rentrait souvent à la maison les doigts prolongés par des griffes multicolores d'une longueur extravagante.

Le père de Ben, pour sa part, était vigile au supermarché du coin. Le plus haut fait d'armes de ses vingt ans de carrière était la fois où il avait pris sur le fait un vieux monsieur qui avait caché deux tubes de mayonnaise dans son pantalon. À présent, papa était trop gros pour courir après les voleurs ; en revanche, il n'avait aucun mal à leur bloquer le passage. Maman et lui s'étaient rencontrés le jour où il l'avait accusée à tort d'avoir chapardé un paquet de chips. Ils s'étaient mariés dans l'année.

L'auto s'engagea dans le lotissement Tougris, où habitait la vieille dame : un pavillon pas bien gai, dans une rangée de petites maisons tristounettes, pour la plupart habitées par des personnes âgées.

La voiture s'arrêta et Ben tourna lentement la tête vers le pavillon. Sa mamie était là, à le guetter avec impatience par la fenêtre du salon. À attendre. Et attendre. Elle attendait toujours son arrivée à la fenêtre. *Depuis combien de temps est-ce qu'elle est là ?* se demanda-t-il. *Depuis la semaine dernière ?*

Il était son unique petit-enfant et, pour ce qu'il en savait, personne d'autre n'allait jamais la voir.

Elle lui fit un signe de la main et un petit sourire, qu'il lui retourna avec effort.

– Bien ! dit papa sans éteindre le moteur. L'un d'entre nous reviendra te chercher demain matin vers 11 heures.

– Vous ne pourriez pas venir à 10 heures, plutôt ?

– Allons, Ben.

Son père retira la sécurité enfants et Ben descendit de voiture à contrecœur. Il n'avait évidemment plus besoin de la sécurité enfants : il avait onze ans et n'avait pas spécialement pour habitude d'ouvrir les portières en route. Il soupçonnait son père de l'enclencher uniquement pour l'empêcher de sauter en marche lorsqu'ils se rendaient chez sa grand-mère. *Clac*, fit la portière en se refermant derrière lui tandis que le moteur se remettait à gronder.

Avant qu'il ait pu sonner, la vieille dame ouvrit sa porte. Une énorme bouffée de chou vint le frapper au visage. Comme une grosse gifle d'odeur.

Dans l'ensemble, la mamie de Ben était une mamie tout à fait standard :

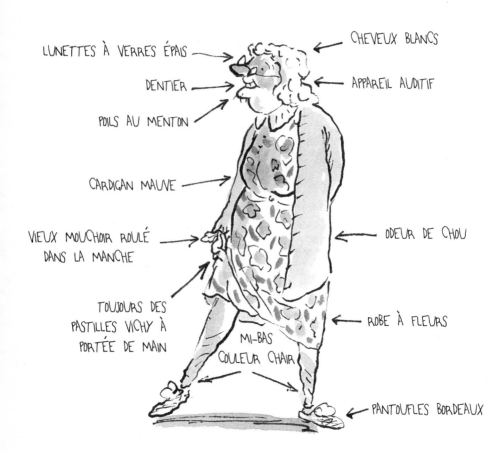

LUNETTES À VERRES ÉPAIS

DENTIER

POILS AU MENTON

CARDIGAN MAUVE

VIEUX MOUCHOIR ROULÉ DANS LA MANCHE

TOUJOURS DES PASTILLES VICHY À PORTÉE DE MAIN

CHEVEUX BLANCS

APPAREIL AUDITIF

ODEUR DE CHOU

ROBE À FLEURS

MI-BAS COULEUR CHAIR

PANTOUFLES BORDEAUX

– Ton papa et ta maman ne veulent pas entrer un instant ? demanda-t-elle, un peu dépitée.

Encore une chose que Ben ne supportait pas chez elle : elle lui parlait toujours comme à un bébé. *Vroum vroum vrouuuuuuuummmm.*

Ensemble, le jeune garçon et sa grand-mère regardèrent la petite auto marron s'en aller à toute vitesse, bondissant sur les ralentisseurs. Ses parents n'aimaient pas plus que Ben passer du temps avec elle. Sa maison n'était qu'un endroit pratique où le déposer le vendredi soir.

– Non, euh... Désolé, mamie... bredouilla-t-il.

– Tant pis. Allez entre, va. J'ai installé le plateau de Scrabble, et je t'ai préparé ton dîner préféré... de la soupe au chou !

Ben se renfrogna encore plus. *Oh, nooooooooooon !*

2.

Comme un coin-coin de canard

Très peu de temps après, tous deux étaient déjà assis face à face à la table de la salle à manger, dans un silence de mort. Comme tous les vendredis soir.

Quand les parents de Ben n'assistaient pas au tournage de *Master Danse avec les Stars*, ils allaient au restaurant ou au cinéma. Le vendredi était leur « soir de sortie », et aussi loin que Ben s'en souvienne, ils l'avaient toujours déposé chez sa grand-mère en ces occasions. S'il n'y avait pas d'enregistrement de *Master Danse avec les Stars en Direct Live sur Scène !*, ils se rendaient géné-ralement au *Taj Mahal* (le restaurant indien du centre-ville, pas le vieux monument indien tout en marbre blanc) où ils dévoraient leur propre poids en *naans* au fromage.

Dans le pavillon, on n'entendait que le tic-tac de la pendule posée sur la cheminée, le cliquetis des cuillers contre les bols en faïence et, de temps en temps, le sifflement strident émis par l'appareil auditif mal réglé de mamie. Cet appareil semblait être conçu moins pour l'aider à entendre que pour rendre tout le monde sourd autour d'elle.

C'était une des choses que Ben détestait le plus chez sa grand-mère. Mais il y en avait d'autres :

1) Elle humectait de salive le vieux mouchoir qu'elle gardait dans la manche de son cardigan pour débarbouiller son petit-fils.

2) Son téléviseur était cassé depuis 1992. Il était couvert d'une couche de poussière tellement épaisse qu'on aurait dit de la fourrure.

3) Sa maison était pleine de livres et elle vou-

lait toujours persuader Ben de les lire alors qu'il détestait la lecture.

4) Elle insistait toujours pour qu'on porte un gros manteau d'hiver toute l'année, même quand il faisait une chaleur de four, sous peine « d'attraper la mort ».

5) Elle empestait le chou. (Une personne allergique au chou n'aurait pas pu l'approcher à moins de dix kilomètres.)

6) Son idée d'une journée palpitante était d'aller jeter des miettes de pain moisi à des canards dans l'étang.

7) Elle lâchait constamment des prouts sans même sembler s'en rendre compte.

8) Ces prouts ne sentaient pas seulement le chou. Ils sentaient le chou pourri.

9) Elle vous envoyait au lit tellement tôt qu'on se demandait si cela valait la peine de se lever au préalable.

10) Pour Noël, elle tricotait à son petit-fils

des pulls décorés de chiots ou de chatons, que ses parents l'obligeaient à porter pendant toute la période des fêtes.

– Comment trouves-tu ta soupe ? lui demanda-t-elle.

Cela faisait dix minutes que Ben touillait le breuvage vert pâle dans son bol ébréché en espérant le voir disparaître par miracle.

C'était raté.

Et maintenant, en plus, le breuvage en question refroidissait. Des morceaux de chou froids flottaient dans un peu d'eau froide parfumée au chou.

– Euh, délicieuse, merci, répondit-il.

– Tant mieux.

Tic tac tic tac.

– Tant mieux, répéta la vieille dame.

Ting ting.

– Tant mieux.

Elle semblait avoir autant de mal à trouver quelque chose à lui dire que l'inverse.

Ting ting. Siiiiiiiiffle…

– Et l'école, ça va ?

– Barbant, marmonna Ben.

Les grandes personnes demandent sans cesse aux enfants comment se passe l'école. Précisément LE sujet dont ils ont horreur de parler. Même quand on y est, à l'école, on n'a pas envie d'en parler.

– Ah, fit mamie.

Tic tac ting ting siiiiiiffle tic tac.

– Bon, il faut que j'aille surveiller mon four, déclara-t-elle après que le long silence eut laissé la place à un *encore plus long* silence. Je te prépare ta tarte au chou préférée.

Elle se leva lentement de sa chaise et se dirigea à petits pas vers la cuisine. À chacun de ses petits pas, une bulle de gaz s'échappait de son derrière tombant. Cela faisait comme un coin-coin de canard. Soit elle ne s'en rendait pas compte, soit elle était très douée pour faire semblant.

Ben la regarda s'en aller, puis traversa la pièce à pas de loup. Ce n'était pas facile, car il y avait des livres partout. Sa grand-mère ADORAIT les livres, elle avait toujours le nez plongé dans un ouvrage ou un autre. Ils s'empilaient sur les étagères, sous les fenêtres, dans les coins.

Ce qu'elle préférait, c'était les romans policiers. Les livres qui parlaient de gangsters, de pilleurs de banques, de la mafia, ce genre de choses. Ben ne connaissait pas précisément la différence entre un gangster et un voleur, si ce n'est que les gangsters semblaient bien plus redoutables.

S'il détestait lire, en revanche il aimait beaucoup regarder les couvertures de ces livres. Il y avait là des voitures de sport, des pistolets, des dames très sexy, et Ben avait du mal à croire que sa vieille mamie barbante puisse apprécier des histoires apparemment si palpitantes.

Pourquoi est-elle obsédée par les gangsters ? se demandait-il. *Pourtant, ils ne vivent pas dans des pavillons. Ils ne jouent pas au Scrabble. Et ils ne sentent sûrement pas le chou.*

Ben lisait très lentement, et à l'école ses professeurs lui donnaient l'impression qu'il était idiot parce qu'il n'arrivait pas à tenir le rythme. La directrice lui avait même fait redoubler une année dans l'espoir qu'il rattrape son retard en lecture. Du coup, tous ses bons copains étaient dans une autre classe, et il se sentait presque aussi seul à l'école qu'à la maison, avec ses parents qui ne s'intéressaient qu'à la danse de salon.

Enfin, après un instant épineux où il faillit renverser une pile de récits criminels vécus, Ben atteignit le pot de fleurs qui se trouvait dans le coin. Il y versa prestement le reste de sa soupe. De toute manière, la plante avait déjà l'air mourante, et si elle n'était pas encore crevée, la soupe au chou froide mettrait certainement fin à ses souffrances dans les meilleurs délais.

Soudain, il entendit le coin-coin caractéristique du derrière de sa grand-mère, signe qu'elle revenait : il se dépêcha de retourner à table et prit un air aussi innocent que possible, avec son bol vide devant lui et sa cuiller à la main.

– J'ai fini ma soupe, merci, mamie. C'était rude-
ment bon !

– Tant mieux, répondit la vieille dame, qui arrivait avec une casserole sur un plateau. J'en ai encore
plein pour toi, mon garçon !

Et avec un grand sourire, elle lui resservit un
bol entier.

Ben déglutit de terreur.

3.

Plomberie Hebdo

– Je ne trouve pas mon *Plomberie Hebdo*, Raj,
dit Ben.

C'était le vendredi suivant, et le garçon avait déjà
fouillé en vain tous les présentoirs du marchand de
journaux : impossible de dénicher sa revue favorite,
une publication destinée aux plombiers professionnels. Car Ben était absolument fasciné par toutes
ces pages consacrées aux tuyaux, aux robinets, aux
citernes, aux chasses d'eau, aux chaudières, aux
réservoirs et aux canalisations. *Plomberie Hebdo*
était la seule publication qu'il aimait lire – princi-

palement parce que les pages en étaient remplies d'images et de schémas.

Depuis tout petit, Ben avait toujours *adoré* la plomberie. À l'âge où les autres enfants jouaient dans leur bain avec des canards, il demandait à ses parents des chutes de tuyauterie pour fabriquer des systèmes hydrauliques complexes. Quand un robinet fuyait dans la maison, c'était lui qui le réparait. Des toilettes bouchées, pour lui, ce n'était pas dégoûtant : au contraire, c'était le bonheur !

Et pourtant, ses parents n'approuvaient pas son projet de devenir plombier. Ils souhaitaient qu'il devienne riche et célèbre, et à leur connaissance, jamais on n'avait vu un plombier devenir riche et célèbre. Ben était aussi doué de ses mains qu'il était nul en lecture, et il était envoûté lorsqu'un plombier venait chez lui réparer une tuyauterie. Il observait tout, émerveillé, de même qu'un interne en médecine observe un grand chirurgien à l'œuvre en salle d'opération.

Mais il sentait bien qu'il décevait ses parents. Car ceux-ci voulaient à toute force qu'il réalise l'ambition qu'eux-mêmes n'avaient jamais pu satisfaire : devenir danseur de salon professionnel. Ils avaient découvert leur amour de la danse trop tardivement pour espérer devenir champions. Et puis, pour être honnête, tout indiquait qu'ils préféraient rester assis sur leur derrière à regarder de la danse à la télévision plutôt que participer réellement.

Étant donné ces circonstances, Ben tâchait de vivre sa passion en secret. Pour éviter de faire de la peine à ses parents, il cachait ses numéros de *Plomberie Hebdo* sous son matelas. Et il avait passé un accord avec Raj : chaque semaine, le marchand de journaux lui mettait un exemplaire de côté.

Aujourd'hui, cependant, il ne le trouvait nulle part.

Ben l'avait cherché derrière les *Voici*, les *Voilà*, les *Oh là là* et même derrière *Nous Deux* (non, lecteur, ne te retourne pas ; je voulais parler du magazine intitulé *Nous Deux*), sans résultat. Il régnait toujours dans la boutique de Raj un désordre indescriptible, et pourtant les clients y venaient de très loin, car le marchand de journaux parvenait toujours à leur donner le sourire.

En ce moment, juché sur un escabeau, il était en train d'accrocher une guirlande de Noël. Enfin, quand je dis « une guirlande de Noël »... il était, en réalité, en train d'accrocher une guirlande marquée « Joyeux Anniversaire », dont il avait effacé le mot « Anniversaire » au Tipp-Ex pour le remplacer par « Noël » gribouillé au Bic.

Il redescendit prudemment de son escabeau afin d'aider Ben dans ses recherches.

– Ton *Plomberie Hebdo*... mmm... voyons... As-tu regardé à côté des caramels ?

– Oui, Raj.

– Et il n'est pas sous les livres de coloriages ?

– Non, Raj.

– Et derrière le distributeur de chewing-gums ?

– Non plus.

– Diable, c'est très mystérieux. Je sais que j'en ai pourtant commandé un pour toi, jeune Ben. Mmm, bigrement mystérieux... (Raj parlait très lentement, comme le font les gens lorsqu'ils réfléchissent à deux choses à la fois.) Je suis absolument navré, Ben, je sais que tu adores ce magazine, mais j'ignore tout à fait où il peut être. En revanche, j'ai une offre spéciale sur les Cornetto.

– On est en novembre, Raj, il gèle dehors ! Qui pourrait avoir envie d'un Cornetto en ce moment ?

– Tout le monde, une fois informé de mon offre spéciale ! Accroche-toi : pour vingt-trois Cornetto achetés, un Cornetto gratuit !

– Mais que ferais-je de vingt-quatre Cornetto ?

– Eh bien, je ne sais pas, tu pourrais peut-être en manger douze tout de suite et mettre les douze autres dans ta poche pour plus tard.

– Ça fait beaucoup de Cornetto, Raj. Pourquoi êtes-vous si pressé de vous en débarrasser ?

– Ils seront périmés demain.

L'homme s'approcha du congélateur, fit coulisser le couvercle en verre et sortit un carton plein de Cornetto. Une brume glacée envahit immédiatement la boutique.

– Regarde ! « À consommer avant le 15 novembre »,
dit-il.

Ben observa attentivement le carton.

– Raj, c'est écrit : « À consommer avant le
15 novembre 1996. »

– Raison de plus pour les proposer en promotion ! D'accord, Ben, ceci est ma dernière offre :
pour une boîte de Cornetto achetée, je t'en donne
dix boîtes absolument gratis !

– Vraiment, Raj, non merci.

En disant cela, Ben jeta un coup d'œil prudent
dans le congélateur pour voir si autre chose de
dangereux y était tapi. L'appareil n'avait jamais été
dégivré, et le garçon n'aurait pas été surpris d'y
trouver un mammouth laineux de l'âge de glace
en parfait état de conservation.

– Eh, attendez ! dit-il en déplaçant quelques
Esquimau prisonniers d'une gangue de givre. Il
est ici ! Mon *Plomberie Hebdo* !

– Ah, oui, ça me revient ! Je l'avais mis là pour te le garder au frais.

– Au frais ?

– Mais bien sûr, jeune homme. Le magazine est publié le mardi, et nous sommes vendredi. Donc, je l'ai mis au congélateur pour qu'il reste bien frais pour toi, Ben. Je n'aurais pas voulu qu'il tourne, tu comprends.

Ben ne voyait pas bien comment un magazine aurait pu tourner, mais il n'en remercia pas moins le marchand de journaux.

– C'est très gentil à vous, Raj. Je voudrais aussi un rouleau de Mentos, s'il vous plaît.

– Je peux te proposer soixante-treize rouleaux de Mentos pour le prix de soixante-douze ! s'exclama Raj avec un sourire qui se voulait irrésistible.

– Non merci, Raj.

– Mille rouleaux pour le prix de neuf cent quatre-vingt-dix-huit ?

– Sans façon.

– Ben, as-tu perdu la tête ? Une offre pareille, cela ne se refuse pas ! Bon, bon, je vois ce que c'est, tu es impitoyable en affaires. Très bien. Un million et sept rouleaux de Mentos pour le prix d'un million et quatre rouleaux. Ce qui te fait trois rouleaux absolument gratuits !

– Je vais prendre juste un rouleau et le magazine, merci.

– Le client est roi.

– J'ai hâte de me plonger dans *Plomberie Hebdo* tout à l'heure. Je dois encore aller dormir chez ma rasoir de grand-mère ce soir.

Une semaine s'était écoulée depuis sa dernière visite, et le vendredi si redouté revenait une fois de plus.

– Tut tut tut, fit Raj, qui secoua la tête en comptant la monnaie.

Ben eut instantanément honte. Il n'avait jamais vu le gentil marchand de journaux réagir ainsi. Comme tous les enfants du quartier, il considérait

Raj comme étant « dans leur camp », pas « dans le camp d'en face » : il était tellement plein de vie et de rires qu'il semblait absolument différent des parents, des professeurs et de tous les adultes qui se croyaient autorisés à vous gronder parce qu'ils étaient plus grands que vous.

– Ce n'est pas parce que ta grand-mère est âgée, Ben, qu'elle est ennuyeuse. Moi-même, je ne suis plus tout jeune, tu sais. Et chaque fois que j'ai vu ta mamie, il m'a semblé que c'était une dame très intéressante.

– Mais...

– Ne la juge pas trop durement, Ben. Nous serons tous vieux un jour. Même toi. Et je suis certain que ta grand-mère a un secret ou deux que tu ignores. Les vieilles personnes en ont toujours.

4.

Merveilles et prodiges

Ben n'était pas du tout persuadé que Raj avait raison au sujet de sa grand-mère. Cette soirée-là se déroula comme toutes les autres. Mamie servit de la soupe au chou, suivie d'une tarte au chou et, pour le dessert, d'une mousse au chou. Elle dénicha même dans un coin quelques petits chocolats à la liqueur de chou[1]. Et après le dîner, comme toujours, grand-mère et petit-

---

1. Les chocolats à la liqueur de chou ne sont pas aussi bons que leur nom le laisse supposer – et leur nom n'est déjà pas très appétissant.

fils s'assirent ensemble sur le canapé qui sentait le rance.

– C'est l'heure du Scrabble ! s'exclama-t-elle.

Super, songea Ben. *Cette soirée va être encore un million de fois plus barbante que celle de la semaine dernière !*

Car il haïssait le Scrabble. S'il avait eu le choix, il aurait construit une fusée et expédié toutes les boîtes de Scrabble du monde dans l'espace intersidéral. La vieille dame sortit le vieux jeu poussiéreux du buffet et l'installa sur la table basse.

Ben soupira.

Quelques décennies plus tard (c'était du moins son impression, mais il ne s'était sans doute écoulé que quelques heures), il était toujours là, à contempler ses lettres.

Il avait déjà posé les mots suivants :

BARBANT
MOMIE

PROUT (mot compte double)

INUTILE

FLATULENCE (celui-là, il avait dû le vérifier dans le dictionnaire)

RIDES

CHOUCROUTE (mot compte triple)

ÉVASION

SAUVETAGE

JEHAISCEJEUDÉBILE (refusé par sa grand-mère sous prétexte que cela s'écrivait en plusieurs mots.)

Il avait un U, deux N et un E. Mamie venait de poser PASTILLEVICHY (mot compte double) et Ben utilisa le « i » pour former le mot ENNUI.

– Bien, il est presque 8 heures, jeune homme, annonça-t-elle en consultant sa petite montre en or. Il est temps d'aller faire un gros dodo...

Ben gémit intérieurement. *Un gros dodo !* Il n'était plus un bébé !

– Mais à la maison, j'ai le droit de rester debout jusqu'à 9 heures, protesta-t-il. Et même jusqu'à 10 heures quand je n'ai pas école le lendemain.

– Non non non, Ben, pas de discussion. Au lit ! (La vieille dame pouvait être assez autoritaire quand elle le voulait.) Et n'oublie pas de te brosser les dents. Je viendrai te raconter une histoire, si tu veux. Tu as toujours aimé les histoires avant de dormir.

Un peu plus tard, Ben était devant le lavabo. La salle de bains était une pièce humide et froide, sans fenêtre. Plusieurs morceaux du carrelage s'étaient décollés. Il n'y avait qu'une triste petite serviette effilochée et un savon très, très usé, d'aspect douteux, moitié savon moitié moisi.

Ben détestait se brosser les dents. Il fit donc semblant. C'est très simple de faire semblant de se brosser les dents. Ne dis pas à tes parents que je t'ai donné cette astuce, mais si tu veux essayer par toi-même, il te suffit de suivre ce petit guide pratique illustré :

1) Ouvrir le robinet d'eau froide.

2) Mouiller la brosse à dents.

3) Presser une petite quantité de dentifrice sur un doigt et mettre le doigt dans la bouche.

4) Faire circuler le dentifrice dans la bouche avec la langue.

5) Cracher.

6) Fermer le robinet.

Tu vois ? C'est très simple. Presque aussi simple que se brosser les dents.

Ben se regarda dans la glace. Il avait onze ans, mais il aurait bien aimé en avoir un peu plus. Il se haussa sur la pointe des pieds : il lui tardait terriblement de grandir.

Encore quelques années, et il serait moins petit, plus poilu, plus boutonneux ; ses vendredis soir seraient bien différents, alors. Il ne serait plus obligé d'aller se barber chez sa vieille grand-mère. Non ! À lui toutes ces choses excitantes que font les adolescents des petites villes le vendredi soir !

Traîner en bande devant le débit de boissons jusqu'à ce que quelqu'un vienne vous dire d'aller traîner ailleurs.

Ou bien rester à l'arrêt de bus avec des filles en survêtement à mâcher du chewing-gum sans jamais monter dans un bus.

Oui, un univers entier de merveilles et de prodiges l'attendait.

Mais pour l'instant, même s'il faisait encore jour dehors et s'il entendait des garçons jouer au foot dans le parc d'à côté, Ben devait aller se coucher. Dans un petit lit dur, dans une petite chambre humide, dans le petit pavillon délabré de sa grand-mère. Ce pavillon qui sentait le chou.

Et pas qu'un peu.

Beaucoup.

Soupirant à fendre l'âme, il se glissa sous les couvertures.

Au même moment, sa mamie ouvrit doucement la porte de sa chambre. Vite, il ferma les yeux et fit semblant de dormir. Elle s'approcha lentement du lit, et Ben sentit qu'elle restait là.

– J'avais une histoire pour toi, lui chuchota-t-elle.

La vieille dame lui en avait souvent raconté, des histoires, quand il était petit : des histoires de pirates, de contrebandiers et de gentlemen cambrioleurs. Mais il était trop grand pour ces gamineries.

– C'est dommage que tu dormes déjà, continua-t-elle. Enfin, je voulais juste te dire que je t'aime. Bonne nuit, mon petit Benny.

Il détestait aussi qu'on l'appelle « Benny ».

Et « petit ».

Mais le cauchemar n'était pas terminé : il sentit sa grand-mère se baisser pour l'embrasser. Les vieux poils durs de son menton lui piquèrent désagréablement la joue. Puis il entendit le coin-coin familier qu'émettait son derrière à chaque pas. Elle rejoignit la porte en cancanant ainsi, et veilla à bien la refermer, enfermant hermétiquement l'odeur.

Ça suffit, pensa Ben. *Il faut que je m'évade !*

5.

Un petit peu cassée

– *Rrrrrrôôôôôôô… fffffffffuuiiiiii… rrrrrrôôôôôôôô… fffffffuuuuuiiiiiiiiiiii…*

Non, lecteur, tu n'as pas acheté par erreur l'édition en swahili de ce livre. C'était le bruit que Ben attendait.

Les ronflements de sa grand-mère.

Elle dormait.

– *Rrrrrrrrrôôôôôôôôôôôôôôôô… fffffffffuuuuuuiiiiiiiiiii… rrrrrrrrrrrrrrrrrrrrrrrôôôôôôôôôôôôôôôôôôôôôôô…*

Ben sortit de sa chambre sur la pointe des pieds pour rejoindre discrètement le téléphone du couloir. C'était un de ces appareils à l'ancienne mode qui ronronnent comme un chat lorsqu'on compose un numéro.

— Maman ? chuchota-t-il dans le combiné.

— JE NE T'ENTENDS PAS ! cria sa mère.

Un air de jazz résonnait fort dans le fond. Les parents de Ben étaient à la salle de spectacle, en train d'assister à *Master Danse avec les Stars en Direct Live sur Scène !* Sa mère était probablement en train de baver devant Flavio Flavioli qui ondulait du bassin et brisait les cœurs des ménagères d'un certain âge.

— Que se passe-t-il ? Tout va bien ? Ne me dis pas que la vieille chouette a cassé sa pipe ?

— Non, elle va bien, mais c'est horrible ici. Vous ne pouvez pas venir me chercher ? Je vous en supplie !

— Flavio n'a pas encore fait son second passage.

— S'il te plaît ! Je veux rentrer à la maison. Mamie est tellement barbante ! C'est de la torture de rester avec elle.

— Je te passe ton père.

Ben entendit des bruits étouffés, le temps que ce dernier prenne le téléphone.

– ALLÔ ? cria-t-il.

– Moins fort, moins fort !

– QUOI ? brailla son père.

– Chhht ! Parle moins fort, tu vas réveiller mamie. Tu pourrais venir me chercher, p'pa ? S'il te plaît ? C'est horrible, ici.

– Non, impossible. Ce spectacle est une chose qu'on ne voit qu'une fois dans sa vie.

– Mais vous l'avez déjà vu vendredi dernier !

– Deux fois, alors.

– Et vous avez dit que vous alliez y retourner vendredi prochain !

– Écoute, bonhomme, si je t'entends encore te plaindre, tu pourras rester avec elle jusqu'à Noël. Bonsoir !

Sur ces mots, il raccrocha. Ben remit soigneusement le combiné en place, et le téléphone émit un tout petit *ding !*

Soudain, le garçon s'aperçut que sa mamie ne ronflait plus.

Avait-elle entendu ce qu'il avait dit ? En regardant derrière lui, il crut apercevoir une ombre, mais celle-ci disparut aussitôt.

C'était vrai qu'il la trouvait atrocement ennuyeuse, mais il ne voulait pas pour autant qu'elle le sache. Après tout, elle n'était qu'une vieille veuve esseulée, qui avait perdu son mari longtemps avant la naissance de Ben. Taraudé par un sentiment de culpabilité, il remonta dans sa chambre et attendit, attendit, attendit le matin.

Au petit déjeuner, sa grand-mère semblait changée. Plus silencieuse. Plus âgée, peut-être. Un petit peu cassée. Ses yeux étaient rouges, comme si elle avait pleuré.

Est-ce qu'elle m'a entendu ? se demanda-t-il. *J'espère que non !*

Elle resta à côté de la cuisinière pendant que

Ben était assis à la table de la cuisine. Elle faisait semblant de s'intéresser au calendrier accroché au mur. Il voyait bien, lui, qu'elle faisait semblant, car il n'y avait rien d'intéressant sur ce calendrier.

Voici un exemple de semaine typique dans la vie trépidante de la vieille dame :

Lundi : Faire de la soupe au chou. Jouer au Scrabble toute seule. Lire un livre.

Mardi : Faire de la soupe au chou. Lire encore un livre. Péter.

Mercredi : Préparer un « chocolat surprise » pour le dessert. La surprise, c'est qu'il n'y a pas de chocolat du tout. En réalité, c'est un dessert 100 % chou.

Jeudi : Suçoter une pastille Vichy toute la journée. (Elle pouvait les faire durer une éternité.)

Vendredi : Continuer de sucer la même pastille Vichy. Visite de mon petit-fils adoré.

Samedi : Départ de mon petit-fils adoré. Repos dans mon fauteuil. Prout !

Dimanche : Manger un rôti de chou, avec du chou braisé et un peu de chou bouilli en garniture. Péter du matin au soir.

Au bout d'un long moment, elle finit par se détourner du calendrier.

– Ton papa et ta maman ne vont pas tarder à arriver, dit-elle, brisant le silence.

– C'est vrai, répondit Ben en regardant sa montre. Plus que quelques minutes.

Ces minutes ressemblaient à des heures. Des jours, même. Des mois !

Une minute peut en effet durer très longtemps. Tu ne me crois pas, lecteur ? Alors assieds-toi tout seul sans rien à faire et compte soixante secondes.

Ça y est ? Là, c'est moi qui ne te crois pas. Je ne blaguais pas ! Je veux vraiment que tu essaies.

Je te préviens, je ne continuerai pas mon récit tant que ce ne sera pas fait.

Si tu veux perdre ta journée, libre à toi.

J'ai tout mon temps.

Bon, ça y est ? Très bien. Revenons à nos moutons.

Juste après 11 heures, la petite auto marron se gara devant chez la vieille dame.

Tel le chauffeur d'une équipe de braqueurs de banque, maman laissa tourner le moteur. Elle se pencha et ouvrit la portière côté passager de manière que Ben puisse sauter en voiture et qu'ils décampent en vitesse.

Pendant que Ben s'approchait de l'auto, sa grand-mère resta debout à la porte.

– Vous entrerez bien prendre une tasse de thé, Linda ? cria-t-elle.

– Non merci, lui lança la mère de Ben. Bon sang, Ben, dépêche-toi un peu ! Je ne veux pas me retrouver obligée de bavarder avec la vieille.

Elle emballa le moteur.

– Chut ! Mamie va t'entendre !

– Et alors ? Je croyais que tu ne l'aimais pas ?

– Je n'ai pas dit ça. J'ai dit que je la trouvais barbante. Mais je ne veux quand même pas qu'elle le sache !

Sa mère pouffa de rire et ils se hâtèrent de sortir du lotissement Tougris.

– Ne t'inquiète pas pour ça, Ben. Ta mamie est un peu toc-toc, tu sais. Elle ne comprend sans doute pas la moitié de ce que tu dis.

Ben fronça les sourcils. Il n'était pas convaincu que ce soit vrai. Pas du tout, même. Il se rappelait la tête de sa grand-mère au petit déjeuner. Soudain, il eut le soupçon horrible qu'elle en comprenait bien plus qu'il ne l'avait jamais imaginé.

6.

Du blanc d'œuf froid et baveux

Ce vendredi-là aurait pu être aussi spectaculairement sinistre que le précédent ; sauf que cette fois, heureusement, Ben avait pensé à prendre son magazine. Car ses parents l'avaient encore déposé chez sa mamie.

Sitôt arrivé, il la dépassa en coup de vent, monta droit dans sa petite chambre humide et froide, ferma la porte et se plongea dans son *Plomberie Hebdo*, qu'il dévora de la première à la dernière page. Il y avait un dossier passionnant, abondamment illustré de photos en couleur, qui montrait comment installer les pompes à chaleur de dernière génération. Ben corna la page : il savait ce qu'il voulait pour Noël.

Une fois qu'il eut terminé son magazine, il soupira et redescendit au séjour : il ne pouvait quand même pas rester enfermé toute la soirée dans sa chambre.

Sa grand-mère leva la tête et sourit en le voyant.

– C'est l'heure du Scrabble ! s'exclama-t-elle gaiement en brandissant la boîte.

Le lendemain matin, un silence épais régnait dans la pièce.

– Encore un œuf à la coque ? demanda la vieille dame dans la petite cuisine défraîchie.

Ben, qui n'aimait pas les œufs à la coque, n'avait pas encore terminé le premier. Sa grand-mère était capable de rater même les plats les plus simples. L'œuf était presque cru, et les mouillettes carbonisées. Dès qu'elle tournait le dos, Ben jetait le blanc baveux par la fenêtre avec sa cuiller et cachait les

mouillettes derrière le radiateur. Il devait y avoir
là de quoi nourrir les canards de l'étang pendant
des siècles, depuis le temps.

– Non merci, mamie, je n'ai plus faim du tout.
Mais l'œuf était très bon, je t'assure.

– Mmm... murmura-t-elle d'un air dubitatif. Il
fait un peu frisquet, je vais remettre un cardigan,
décida-t-elle soud'in (alors qu'elle en portait déjà
deux).

Elle sortit de la pièce à petits pas en faisant coin-
coin.

Ben jeta le reste de son œuf par la fenêtre,
puis chercha autre chose à manger. Il savait que
sa mamie avait une réserve secrète de biscuits au
chocolat, cachée tout en haut du placard. Elle en
donnait un à Ben le jour de son anniversaire. Il se
servait aussi de temps en temps sans rien demander, lorsque les festins de chou de sa grand-mère
le laissaient affamé comme un loup.

Il se dépêcha donc de traîner sa chaise jusqu'au

placard et monta dessus pour atteindre l'étagère. Il souleva la boîte en fer commémorant le jubilé royal de 1977, sur laquelle on voyait un portrait éraflé et décoloré de la reine Élisabeth toute jeune. Elle était lourde, cette boîte. Bien plus lourde que d'habitude.

Bizarre.

Ben la secoua un peu. Elle ne faisait pas un bruit de biscuits. On aurait plutôt dit un bruit de cailloux ou de billes.

Encore plus bizarre.

Ben souleva le couvercle.

Et il en resta baba.

Il regarda, médusé. Et regarda encore.

Des diamants ! Des bagues, des bracelets, des colliers, des boucles d'oreilles, tout cela couvert de gros diamants étincelants. Des diamants comme s'il en pleuvait !

Ben n'était pas un expert, mais il estima que le

trésor devait s'élever à plusieurs milliers de livres en bijoux, peut-être même des millions.

Soudain, il entendit revenir le coin-coin de la vieille dame. Il referma fiévreusement le couvercle, reposa la boîte sur l'étagère, bondit au sol, remit sa chaise devant la table et s'assit dessus.

En jetant un coup d'œil vers la fenêtre, il s'aperçut alors que son blanc d'œuf n'avait pas atterri dans le jardin mais s'était étalé contre le carreau. Si cela séchait, sa grand-mère devrait le décoller au chalumeau. Il sauta, aspira l'œuf froid et baveux directement sur la vitre, puis retourna s'asseoir.

Et comme c'était très désagréable à avaler, il le garda dans sa bouche.

Mamie rentra dans la cuisine, vêtue de ses trois cardigans superposés.

Cancanant toujours du derrière.

– Tu devrais mettre ton manteau, mon poussin. Ton papa et ta maman ne vont pas tarder, dit-elle avec un sourire.

Ben avala à contrecœur l'œuf froid et baveux. Qui glissa dans sa gorge. Bêrk, bêrk et rebêrk.

– Oui, parvint-il à articuler tout en craignant de vomir et de redéposer directement l'œuf sur la fenêtre.

Brouillé, cette fois.

7.

Des sacs de crottin

– Je peux retourner dormir chez mamie ce soir ? demanda Ben depuis la banquette arrière de la petite auto marron.

Ces diamants dans la boîte à biscuits, quel mystère ! Il avait bien envie de jouer un peu au détective. Et même de passer au peigne fin le pavillon de la vieille dame. Tout cela était terriblement intriguant. Raj lui avait bien dit que sa grand-mère cachait peut-être un secret ou deux. Apparemment, c'était lui qui avait raison ! Et quel que fût son secret, il devait être sacrément étonnant, pour expliquer tous ces diamants. Avait-elle été multimillionnaire ? Employée dans une mine de diamants ? À moins qu'une princesse ne les lui ait donnés ? Ben brûlait d'impatience de le savoir.

– Comment ? demanda son père, stupéfait.

– Mais tu disais qu'elle était barbante, ajouta sa mère, tout aussi stupéfaite et même agacée. Tu disais que toutes les vieilles personnes l'étaient.

– Je plaisantais...

Papa observa attentivement son fils dans le rétroviseur. En temps normal, il avait déjà du mal à comprendre ce garçon obsédé par la plomberie. Là, c'en était trop : il ne le comprenait plus du tout.

– Mmm... eh bien... si tu es sûr...

– Sûr et certain, p'pa.

– Je l'appellerai en arrivant. Juste pour vérifier qu'elle ne sort pas ce soir.

– Sortir ! s'esclaffa la mère de Ben. La vieille chouette n'est pas sortie depuis vingt ans ! ajouta-t-elle avec un petit gloussement.

Ben ne voyait pas ce qu'il y avait de drôle.

– Si, je l'ai emmenée à la jardinerie, une fois, précisa son père.

– Seulement parce que tu avais besoin de quelqu'un pour t'aider à porter des sacs de crottin.

– Mais elle a beaucoup apprécié la balade, répliqua papa, visiblement piqué au vif.

Plus tard, Ben était assis seul sur son lit. Ses pensées tournaient à toute vitesse.

D'où peuvent bien venir les diamants de mamie ?

Combien valent-ils, en tout ?

Pourquoi vit-elle dans ce petit pavillon tout triste si elle est tellement riche ?

Il avait beau se creuser la cervelle, il ne trouvait pas de réponse. Alors, son père entra dans la chambre.

– Mamie est occupée. Elle dit qu'elle se ferait une joie de te voir, mais qu'elle sort ce soir, annonça-t-il.

– Quoi ?!

Sa grand-mère ne sortait jamais. Il avait vu son calendrier ! Le mystère s'épaississait.

8.

Une petite moumoute en bocal

Ben était caché dans les buissons, face au pavillon de sa grand-mère. Pendant que ses parents étaient devant la télévision, absorbés par *Master Danse avec les Stars*, il était descendu par la fenêtre de sa chambre, le long de la gouttière, et avait pris son vélo pour parcourir les huit kilomètres qui le séparaient de chez elle.

Ce seul détail indique bien à quel point la vieille dame l'intéressait désormais. Car Ben n'aimait pas pédaler. Ses parents l'encourageaient sans cesse à faire un peu de sport : ils soutenaient qu'être en forme était essentiel pour devenir danseur professionnel.

Mais puisque cela n'avait aucune importance quand on voulait rester couché sur le dos pour réparer un évier, il n'avait jamais fait d'efforts de ce côté-là.

Jusqu'à présent.

S'il était vrai que sa grand-mère sortait ce soir-là pour la première fois depuis vingt ans, il fallait qu'il sache où elle se rendait. C'était peut-être la clé pour comprendre comment elle en était venue à dissimuler une tonne de diamants dans sa boîte à biscuits.

Il avait donc soufflé et transpiré sur sa vieille bécane, et longé le canal jusqu'au lotissement Tougris. Seul avantage à être fin novembre : le garçon n'était que légèrement humide au lieu de dégouliner de sueur.

Il avait pédalé vite, car il savait que le temps lui était compté. *Master Danse avec les Stars* semblait interminable : quand on la regardait, on avait l'impression que l'émission durait des heures, des jours, même ; mais Ben avait mis une demi-heure pour rejoindre la maison de sa grand-mère, et aussitôt que résonnerait le générique de fin, sa mère l'appellerait pour le dîner. Les parents de Ben étaient fanas de toutes les émissions de danse – *Danse sur glace Academy, Incroyable danse, Une danse presque parfaite* –, mais celle qui les obsédait complètement demeurait *Master Danse avec les Stars*. Ils avaient enregistré tous les épisodes sans exception, et possédaient une collection unique au monde de souvenirs de *Master Danse*, comprenant notamment :

- un string vert fluo autrefois porté par Flavio Flavioli, encadré avec une photo de l'homme portant ce même string ;
- un marque-page *Master Danse avec les Stars* en similicuir véritable ;
- une boîte de talc contre la mycose des orteils dédicacée par la partenaire de danse professionnelle de Flavio, la beauté autrichienne Eva Bunz ;

- les guêtres officielles *Master Danse*, « pour lui » et « pour elle » ;
- un CD de musiques ayant failli être utilisées dans l'émission ;
- une petite moumoute dans un bocal, qui avait été portée par le présentateur de l'émission, sir Dirk Tromblon ;
- une représentation grandeur nature en carton découpé de Flavio Flavioli, dont la bouche était tachée par le rouge à lèvres de maman ;
- un flacon de cire d'oreille d'une célèbre

participante et femme politique, la députée lady Rachel Courtevue ;

- un collant chair qui avait l'odeur d'Eva Bunz ;
- une paire de fesses griffonnée au Bic sur une serviette en papier par le juré le plus impitoyable, Craig Malteser-Woodward ;
- un assortiment de coquetiers officiels *Master Danse avec les Stars* ;
- un tube de Gomina entamé, utilisé par Flavio Flavioli ;
- une figurine articulée de Craig Malteser-Woodward en plastique ;
- une croûte de pizza ananas-harissa abandonnée par Flavio (et son certificat d'authenticité signé par Eva Bunz).

Comme on était samedi, il était prévu qu'après l'émission toute la famille mange du gratin de saucisses aux haricots. Ni le père ni la mère de Ben ne savait cuisiner, mais parmi les plats tout prêts que maman sortait du freezer, piquait avec une fourchette et réchauffait trois minutes au micro-ondes, celui-ci était le préféré de Ben. Il avait faim et ne voulait pas le rater : raison de plus pour rentrer rapidement de chez sa grand-mère. Si on avait été, disons, lundi (jour des lasagnes tandoori), ou mercredi (pizza kebab), ou dimanche (crêpes chop-suey[1]), il aurait été moins pressé.

La nuit tombait. Comme on était fin novembre, le jour et la température baissaient rapidement, et Ben grelottait dans les buissons, guettant sa mamie.

------

1. La chaîne de supermarchés où travaillait le père de Ben aimait à combiner les traditions gastronomiques de deux pays en un plat unique facile à réchauffer au micro-ondes. En rapprochant ainsi des cultures culinaires variées, elle parviendrait peut-être à apporter la paix dans un monde profondément divisé. Ou pas.

Où peut-elle bien aller ? se demandait-il. *Elle qui ne sort jamais !*

C'est alors qu'il vit une ombre se déplacer dans le pavillon. Puis le visage de la vieille dame apparut à la fenêtre, et Ben se baissa vivement pour ne pas être aperçu. Du même coup, il fit bouger les feuillages. *Chhht !* se dit-il à lui-même. Sa grand-mère l'avait-elle repéré ?

Peu après, la porte d'entrée s'ouvrit lentement pour révéler une silhouette entièrement vêtue de noir. Pull-over noir, collant noir, gants noirs, chaussettes noires, probablement aussi culotte et soutien-gorge noirs. Une cagoule noire dissimulait le visage, mais Ben devina que c'était bien sa mamie qui se tenait sur le perron. Elle semblait tout droit sortie des livres qu'elle aimait tant lire. Enfourchant son scooter électrique pour personnes âgées, elle fit rugir le moteur.

Mais où allait-elle donc ?

Et, plus important, pourquoi était-elle déguisée en ninja ?

Ben appuya son vélo contre la haie et s'apprêta à prendre sa propre grand-mère en filature. Chose qu'il n'aurait jamais, jamais, jamais imaginé faire un jour.

Telle une araignée s'esbignant au fond d'une salle de bains en espérant ne pas être repérée, mamie rasait les murs. Ben la suivait à pied sans faire de bruit. Ce n'était pas trop difficile, la vitesse maximale du scooter pour personnes âgées étant de 6,5 kilomètres/heure. Alors qu'elle traversait une rue dans un vrombissement de moteur électrique, elle se retourna soudain comme si elle avait entendu un bruit, et Ben plongea derrière un arbre.

Il attendit en retenant son souffle.

Rien.

Après un petit moment, il sortit prudemment la tête et vit que sa grand-mère était arrivée au bout de la rue. Il reprit sa filature.

Ils se retrouvèrent bientôt près de l'artère commerçante de la ville. Tout était désert. À cette heure-là, les magasins étaient déjà fermés tandis que les bars et les restaurants n'étaient pas encore ouverts pour le service du soir. Mamie évitait la lumière des réverbères et se dissimulait sous les porches en approchant de sa destination.

Ben faillit s'étrangler lorsqu'il vit où elle s'arrêtait.

Devant la bijouterie.

Des colliers, des bagues et des montres sans prix étincelaient dans la vitrine. Sous les yeux incrédules de son petit-fils, la vieille dame prit dans le panier du scooter une boîte de soupe au chou. Elle regarda théâtralement tout autour d'elle, puis recula son bras et s'apprêta à fracasser la vitrine en y précipitant la boîte de conserve.

– Noooooon ! hurla Ben.

Mamie en lâcha sa boîte, qui s'écrasa par terre. Une flaque de soupe au chou s'étala lentement sur les pavés.

– Ben ! Mais qu'est-ce que tu fais là ?

9.

Le Chat noir

Ben, pétrifié, regardait fixement sa grand-mère, toute vêtue de noir devant la vitrine du bijoutier.

– Ben ? Qu'est-ce qui t'a pris de me suivre ?

– C'est que... Je...

Il était tellement abasourdi qu'il se sentait incapable d'aligner deux mots.

– Je ne sais pas ce que tu fais ici, mais en tout cas, tu vas ameuter les flics en deux minutes. Mieux vaut filer d'ici. Vite, monte !

– Mais je ne peux...

– Ben ! Il nous reste trente secondes avant que cette caméra de vidéosurveillance se déclenche.

Elle pointait du doigt une caméra vissée au mur d'un immeuble proche de la rangée de boutiques.

Ben bondit à l'arrière du scooter.

– Parce que tu sais quand les caméras s'allument ? demanda-t-il, éberlué.

– Oh, tu n'imagines pas tout ce que je sais. Tu serais étonné.

Pendant qu'elle conduisait, il la contempla de dos. Il venait de la voir s'apprêter à cambrioler une bijouterie, comment pourrait-il être *encore plus* étonné ? Décidément, il l'avait toujours gravement sous-estimée.

– Accroche-toi, dit-elle. Je vais mettre les gaz.

Elle tourna violemment la poignée du scooter, sans le moindre effet perceptible. Ils s'éloignèrent en bourdonnant dans le noir, à environ 5 kilomètres/heures – en raison du supplément de poids.

– Le Chat noir ? répéta Ben.

Ils étaient de retour dans le salon de sa grand-mère. Elle avait fait du thé et sorti quelques biscuits au chocolat.

– Oui, c'est ainsi qu'on m'appelait. J'étais la voleuse de bijoux la plus recherchée au monde.

Un million de questions se pressaient dans la tête du garçon, au point que son crâne lui semblait au bord de l'explosion. *Où ? Qui ? Quoi ? Quand ? Comment ? Pourquoi ?* Impossible de savoir par laquelle commencer.

– Personne n'est au courant à part toi, Ben, continua la vieille dame. Même ton papi est parti dans la tombe sans rien savoir. Es-tu capable de garder un secret ? Il faut que tu me jures de n'en parler à personne.

– Mais...

Un instant, le visage de la dame devint farouche. Ses yeux rapetissèrent et s'assombrirent comme ceux d'un serpent prêt à mordre.

– Il faut que tu me le jures, insista-t-elle avec une intensité que son petit-fils ne lui connaissait pas. Nous, les criminels, prenons les promesses très au sérieux. Très, *très* au sérieux.

Ben déglutit, un peu effrayé – *gloups*.

– Je jure de n'en parler à personne.

– Même pas à ton papa ni à ta maman ! glapit sa grand-mère, qui en cracha presque son dentier.

– Je te l'ai dit, je jure de n'en parler à personne, aboya-t-il sur le même ton.

Il avait récemment étudié les ensembles à l'école. Bien. Il avait juré de ne parler de l'affaire à personne : nous appellerons « personne » l'ensemble A, qui représente donc tout le monde. Ses parents en font évidemment partie et forment bien sûr un sous-ensemble B ; nous voyons par conséquent que mamie n'avait nul besoin de lui demander de jurer une seconde fois.

Pour mieux nous en convaincre, observons un instant ce schéma tout à fait clair :

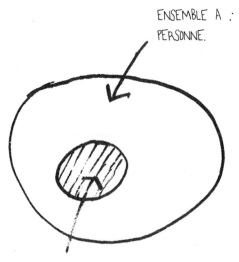

ENSEMBLE A :
PERSONNE.

SOUS-ENSEMBLE B : PAPA ET MAMAN.

Mais Ben doutait que sa grand-mère soit inté-
ressée par la théorie des ensembles en ce moment.
Comme elle le dévisageait toujours avec son regard
effrayant, il céda.

– D'accord, soupira-t-il, je jure de ne rien dire
à papa ni à maman.

– C'est bien, mon garçon.

L'appareil auditif se mit à siffler.

– Euh... à une condition, s'enhardit à ajouter
Ben.

– Laquelle ? demanda la vieille dame, visiblement un peu estomaquée par tant d'audace.

– Je veux que tu me racontes tout.

10.

Tout

– J'avais à peu près ton âge lorsque j'ai volé ma première bague, déclara mamie.

Ben était stupéfait. En partie à l'idée que sa grand-mère ait eu un jour son âge, ce qui semblait impossible ; et en partie, bien sûr, parce que d'habitude les fillettes de onze ans ne volent pas de diamants. Des stylos à paillettes, des barrettes, des poneys en plastique, oui, c'est possible. Mais des diamants, non.

– Je sais bien que tu me regardes, avec mon Scrabble, mon tricot et mon amour du chou, et que tu me prends pour une vieille chouette assommante…

– Noon... fit Ben d'un ton pas vraiment convaincant.

– Mais ce que tu oublies, mon enfant, c'est que j'ai été jeune un jour.

– Comment était-elle, cette première bague que tu as volée ? Est-ce qu'elle avait un gros diamant ?

La vieille dame rit doucement.

– Pas très gros. Je n'en étais qu'à mon coup d'essai ! Je l'ai encore quelque part, d'ailleurs. Va dans la cuisine, Ben, tu veux bien ? Ouvre le placard, et prends-y la boîte à biscuits du jubilé de la reine.

Ben haussa les épaules comme s'il ignorait tout de cette boîte à biscuits commémorative et de son incroyable contenu.

– Sur l'étagère du haut, mon garçon ! Et dépêche-toi un peu ! Ton papa et ta maman ne vont pas tarder à se demander où tu es.

Ben se souvint alors qu'il voulait rentrer vite pour le gratin de saucisses aux haricots. Mais soudain, cela lui semblait d'une insignifiance colossale. Il n'avait même plus faim.

Il rentra dans le salon, la boîte entre les mains. Elle était encore plus lourde que dans son souvenir. Il la passa à sa grand-mère.

– Bravo, tu l'as trouvée ! dit cette dernière en farfouillant dedans.

Elle en sortit une bague ornée d'un petit solitaire particulièrement brillant.

– Ah, oui, la voilà !

Aux yeux de Ben, toutes les bagues en diamants se ressemblaient. Mais sa mamie semblait les connaître une par une, comme s'il s'était agi de fidèles amies.

– Une vraie petite merveille, dit-elle en l'approchant de ses yeux pour mieux l'étudier. Celle-ci est la première que j'ai volée, quand je n'étais encore qu'une gamine.

Ben était absolument incapable d'imaginer sa grand-mère jeune. Il l'avait toujours connue sous la forme d'une vieille dame. Il se figurait même qu'elle était née vieille dame. Que des années plus tôt, quand sa mère lui avait donné naissance et avait demandé si c'était une fille ou un garçon, la sage-femme avait répondu : « C'est une vieille dame ! »

– J'ai grandi dans un petit village, où nous étions très pauvres, continua mamie. Au sommet de la colline, il y avait un grand manoir où vivaient des châtelains, lord et lady Davenport. C'était juste après la guerre. Nous n'avions pas grand-chose à manger, à l'époque. Comme j'étais affamée, un soir, à minuit, pendant que tout le monde dormait, je suis sortie en silence de la maisonnette de mes parents. J'ai traversé la forêt dans le noir et je suis montée jusqu'au manoir des Davenport.

– Tu n'as pas eu peur ? demanda Ben.

– Bien sûr que si ! Parcourir les bois toute seule en pleine nuit, c'était terrifiant. Le manoir était gardé par des chiens. D'énormes dobermans noirs. Alors, le plus silencieusement possible, j'ai escaladé une gouttière et trouvé une fenêtre mal fermée. Comme j'étais très menue pour mes onze ans, j'ai réussi à me faufiler à l'intérieur et j'ai atterri derrière un rideau de velours. Lorsque je l'ai écarté, je me suis rendu compte que j'étais dans la chambre à coucher de lord et lady Davenport.

– Oh, non !

– Oh, si ! Je comptais juste chiper un peu à manger, mais à côté du lit, j'ai vu cette petite merveille.

Elle indiqua la bague.

– Et tu l'as prise, comme ça ?

– Ce n'est pas si simple d'être une voleuse de bijoux internationale, jeune homme. Les châtelains ronflaient comme des locomotives, mais si jamais je les réveillais, je pouvais dire adieu à la vie. Le maître de maison dormait toujours avec un fusil au pied de son lit.

– Un fusil ?

– Oui, il était très snob, et, comme il était snob, il aimait chasser le faisan, si bien qu'il possédait plusieurs armes.

Ben redoutait tellement la suite qu'il en transpirait.

– Mais il ne s'est pas réveillé et ne t'a pas tiré dessus, n'est-ce pas ?

– Un peu de patience, jeune homme. Chaque chose en son temps. Sur la pointe des pieds, je me suis approchée du chevet de lady Davenport et me suis emparé de la bague. Elle était si belle que je n'en croyais pas mes yeux. Jamais je n'en avais vu de si près. Ma mère n'aurait pas rêvé d'en posséder une. « Je n'ai que faire de bijoux ; mes petits diamants, c'est vous », disait-elle à ses enfants. J'ai tenu la bague dans ma main pendant un moment, émerveillée. Je n'avais jamais rien vu de si magnifique. Puis, soudain, il y a eu un raffut de tous les diables.

Ben fronça les sourcils.

– Qu'est-ce que c'était ?

– Lord Davenport était un gros plein de soupe. Il avait dû trop manger au dîner, car il a lâché un rot énorme !

Ben éclata de rire, et sa grand-mère aussi. Il savait que les rots n'étaient pas censés être drôles, mais franchement, c'était irrésistible.

– Tellement fort ! reprit mamie, gloussant toujours. B B B B B B B B B U U U U U U U U U U U U R R R R R R R R R R R R P P P P P P P P P P P P P P P !!!!!!!!!!!

Ben pleurait de rire, à présent.

– Tellement fort, continua sa grand-mère, que j'ai sursauté et lâché la bague sur le parquet de chêne ciré. Elle a tinté sur ce sol dur, et lord et lady Davenport se sont réveillés tous les deux.

– Oh, non !

– Oh, si ! Alors, j'ai ramassé la bague en vitesse et j'ai couru jusqu'à la fenêtre ouverte. Je n'osais pas regarder derrière moi, mais j'ai entendu lord Davenport armer son fusil. J'ai sauté dans l'herbe. Les lumières se sont allumées dans la maison et les chiens se sont mis à aboyer. J'ai pris mes jambes à mon cou. Soudain, j'ai entendu un fracas assourdissant...

– Encore un rot ?

– Non, un coup de feu, cette fois. Lord Davenport me tirait dessus tandis que je dévalais la colline pour me cacher dans les bois.

– Et ensuite, que s'est-il passé ?

Mamie consulta sa petite montre en or.

– Mon chéri, il est temps que tu rentres chez toi. Ton papa et ta maman vont être malades d'inquiétude.

– Ça m'étonnerait, dit Ben. Ils ne pensent qu'à leurs âneries de danse de salon.

– Ce n'est pas vrai, répondit sa grand-mère. Tu sais bien qu'ils t'aiment.

– Mais je veux la fin de l'histoire !

C'est vrai, quoi, il tenait absolument à savoir ce qui était arrivé ensuite.

– Et tu l'auras. Une autre fois.

– Mais, mamie…

– Il faut que tu rentres.

– C'est pas juste !

– Ben, il faut que tu t'en ailles. Je te raconterai la suite quand tu reviendras.

– Mais !

– À suivre ! trancha sa grand-mère d'un ton sans appel.

11.

Gratin saucisses-haricots

Ben pédala à toute allure jusque chez lui, sans même remarquer que ses jambes et ses poumons étaient en feu. Si vite qu'il eut peur de récolter une contravention pour excès de vitesse. Et ses pensées tournaient aussi rapidement que les roues de sa bicyclette.

Se pouvait-il vraiment que sa vieille grand-mère barbante soit un gangster ?

Une grand-mère gangster ?

C'était donc pour ça qu'elle aimait tant les romans policiers ! C'était sa vie !

Il rentra discrètement par la porte de la cuisine

à l'instant où le générique de fin de *Master Danse avec les Stars* résonnait dans le salon. Juste à temps !

Mais alors qu'il était sur le point de filer à l'étage pour faire comme s'il était resté tout ce temps dans sa chambre à faire ses devoirs, sa mère surgit dans la pièce.

– Qu'est-ce que tu fabriques ? l'interrogea-t-elle d'un air soupçonneux. Tu es en nage.

– Oh, rien, rien, dit Ben, qui sentait bien qu'il était en nage.

– Mais regarde-toi ! continua-t-elle en s'approchant de lui. Tu sues comme un cochon !

Ben avait vu quelques cochons dans sa vie, mais aucun en sueur. D'ailleurs, les amateurs de cochons du monde entier vous le diront : les cochons n'ont quasiment pas de glandes sudoripares. Ils ne pourraient pas suer même s'ils le voulaient.

Eh bien dites donc, ce livre est très éducatif, en fait !

– Mais non, je ne transpire pas.

Être accusé de transpirer le faisait transpirer encore plus.

– Si, tu sues. Tu as couru dehors ?

– Non, répliqua un Ben désormais très transpirant.

– Ben, ne me mens pas, je suis ta mère, dit-elle en se montrant elle-même du doigt, envoyant du même coup valdinguer un de ses faux ongles. (Ils se décollaient fréquemment. Une fois, Ben avait même trouvé un ongle d'orteil dans sa paëlla bolognaise réchauffée au micro-ondes.)

– Si tu n'étais pas en train de courir dehors, Ben, alors pourquoi sues-tu ?

C'était le moment de réfléchir vite. Le générique de *Master Danse avec les Stars* allait se terminer.

Les mots sortirent tout seuls.

– Je dansais !

– Tu dansais ?

Maman était dubitative. Ben n'était pas Flavio

Flavioli, loin de là. Sans compter qu'il détestait la danse.

– Oui, j'ai changé d'avis. J'adore la danse de salon, maintenant !

– Mais tu disais que tu détestais ça, répliqua du tac-au-tac une maman de plus en plus soupçonneuse. Tu nous l'as seriné sur tous les tons. Pas plus tard que la semaine dernière, tu disais encore : « Plutôt manger mes crottes de nez que regarder ces âneries. » T'entendre dire ça ! Un coup de poignard en plein cœur.

Elle était visiblement bouleversée à ce seul souvenir.

– Pardon, m'man, je suis vraiment désolé.

Ben tendit une main pour la consoler, et un deuxième faux ongle tomba par terre.

– Mais maintenant, je suis fan, franchement. J'étais en train de regarder l'émission d'ici et de copier tous les mouvements.

À ces mots, sa mère rayonna de fierté. On aurait

dit que sa vie entière prenait soudain un sens. Son expression devint étrangement heureuse, et triste en même temps, comme si le destin en personne avait frappé.

– Alors, tu veux devenir... (elle inspira à fond) ... danseur professionnel ?

– Où sont mes saucisses aux haricots, ma femme ?! cria papa dans le salon.

– La ferme, Pete !

Maman avait les yeux mouillés de larmes de joie.

Elle n'avait pas pleuré ainsi depuis l'année précédente, le jour où Flavio avait été éliminé de *Master Danse avec les Stars* en deuxième semaine. (On l'avait forcé à danser avec lady Rachel Courtevue, laquelle était tellement dodue qu'il n'avait pu que la traîner en rond sur la piste.)

Ben chercha désespérément un moyen de se tirer de ce mauvais pas.

– Hum... euh... aah... eh bien... oui.

Ça n'allait pas du tout, du tout.

– Ahhh ! Je le savais ! s'écria sa mère. Pete, viens voir ! Ben a quelque chose à te dire.

Papa entra d'un pas traînant dans la cuisine.

– Qu'y a-t-il, Ben ? Tu ne vas pas t'enfuir avec un cirque, hein ? Bon sang, tu es en sueur.

– Non, Pete, dit maman, lentement, posément, comme si elle avait été sur le point d'annoncer le nom du lauréat à la cérémonie des Oscars. Ben ne veut plus être un imbécile de plombier...

– Dieu merci.

– Il veut être... Dis-lui, Ben.

Ce dernier ouvrit la bouche, mais elle le coupa avant qu'il ait pu prononcer un mot.

– Il veut devenir danseur de salon !

– Alléluia ! Dieu existe ! s'exclama papa.

Il leva les yeux vers le plafond jauni par la nicotine, comme pour apercevoir un instant le Très-Haut.

– Il s'entraînait dans la cuisine, se mit à jacasser maman. Il copiait les chorégraphies de l'émission...

Papa regarda son fils droit dans les yeux et lui donna une poignée de main virile.

– C'est une merveilleuse nouvelle, mon garçon ! Ta mère et moi n'avons pas réussi grand-chose dans nos vies. Avec maman qui est manucure...

– Styliste ongulaire, Pete ! le corrigea-t-elle, vexée. Ce n'est pas *du tout* la même chose, Pete, tu sais bien que...

– Styliste ongulaire, pardon. Et moi qui ne suis

qu'un vieux vigile ennuyeux parce que j'étais trop gros pour entrer dans la police... Le deuxième moment le plus excitant de ma vie a été celui où j'ai arrêté un monsieur en fauteuil roulant qui sortait du magasin avec une boîte de crème anglaise cachée sous sa couverture. Mais que notre fils devienne danseur de salon, alors là... ce serait... ce serait la chose la plus merveilleuse qui puisse nous arriver.

– La plus, plus merveilleuse ! renchérit maman.

– La plus, plus, plus merveilleuse, l'approuva papa.

– Vraiment, la plus, plus, plus, plus merveilleuse, insista maman.

– Bon, disons que ce serait extrêmement merveilleux, trancha papa, agacé. Seulement je te préviens, bonhomme, ça ne va pas être facile. Mais en t'entraînant huit heures par jour tous les jours pendant les vingt prochaines années, tu auras peut-être une petite chance de passer dans l'émission.

– Il pourrait faire la version américaine ! s'écria

maman. Oh, Pete, imagine un peu : notre fils, superstar en Amérique !

– Ah, ma femme, ne vendons pas la peau de l'ours avant de l'avoir tué. Il n'a pas encore gagné le concours national du Royaume-Uni. Pour le moment, nous n'en sommes qu'à l'inscrire à une compétition junior.

– Tu as raison, Pete. Manu m'a dit qu'il y en aurait une à l'hôtel de ville juste avant Noël.

– Ouvre une bouteille de mousseux, chérie ! Notre fils va devenir champion de cha-cha-cha !

Un gros mot explosa dans la tête de Ben.

Comment allait-il se sortir de ce pétrin ?

12.

La bombe d'amour

Pendant toute la matinée du dimanche, sa mère avait pris les mesures de Ben pour confectionner sa tenue de danse. Elle n'avait pas dormi de la nuit, qu'elle avait passée à faire des croquis.

Sous la contrainte, il avait dû en choisir un, et avait pointé un doigt réticent sur celui qu'il trouvait le moins hideux.

Les costumes à thème esquissés par sa mère allaient de « gênants » à « carrément humiliants » en comptant toutes les nuances intermédiaires.

Il y avait :

FORÊT

COCKTAIL DE FRUITS

FOUDRE ET TONNERRE

ACCIDENT ET URGENCES

CITRON ET GLAÇONS

HAIE ET BLAIREAU

BONBON QUALITY STREET

ŒUF AU BACON

CONFETTIS

MONDE SOUS-MARIN

AMOUR BRÛLANT

FROMAGE-OIGNON

SYSTÈME SOLAIRE

CONCERTO POUR PIANO

Celui que Ben avait trouvé le *moins* catastrophique était... la Bombe d'amour :

– Il ne reste plus qu'à te dégoter une jolie partenaire ! dit maman avec un tel enthousiasme qu'un de ses ongles se coinça sous l'aiguille de la machine à coudre et explosa.

Ben n'avait pas songé un instant à la question. Non seulement il allait devoir danser, mais avec une fille, en plus ! Et pas n'importe quelle fille,

mais une fille abominablement précoce, en justau-
corps, trop maquillée et barbouillée de bronzage
en spray !

Alors que lui était encore à l'âge où les garçons trouvent les filles à peu près aussi attirantes
que les têtards.

– Oh, pas la peine, je comptais danser tout seul,
bredouilla-t-il.

– Une prestation solo ! Comme c'est original !

– D'ailleurs, je n'ai pas toute la journée. Je ferais
bien de monter m'entraîner ! lâcha-t-il avant de
courir se cacher dans sa chambre.

Il ferma la porte, alluma la radio, puis sortit par
la fenêtre et fonça chez sa grand-mère sur son vélo.

– Donc, tu étais en train de t'enfuir dans les bois
quand lord Davenport a commencé à te tirer dessus…

Ben, bouillant d'impatience, voulait connaître la
suite. Mais pour l'instant, sa mamie semblait ne rien
comprendre du tout.

– Moi ? fit-elle, l'air de plus en plus perplexe.

– C'est là que tu as arrêté ton histoire hier soir. Tu m'as dit que tu avais piqué la bague dans la chambre à coucher des Davenport, et que tu traversais les pelouses en courant quand tu as entendu des coups de feu...

Les traits de la vieille dame s'illuminèrent d'un seul coup.

– Ah, oui, oui, bien sûr !

Ben sourit d'une oreille à l'autre. Il se rappelait, à présent, que quand il était petit il adorait les histoires de sa grand-mère, qui le transportaient illico dans un monde magique. Un monde où l'on peint dans sa tête des images plus palpitantes que tous les films, toutes les séries télé et tous les jeux vidéo de l'univers.

Et dire que seulement deux semaines auparavant, il faisait semblant de dormir pour éviter qu'elle ne lui inflige une histoire ! Il était clair que Ben avait oublié à quel point elles pouvaient être passionnantes, ces histoires.

– Je courais, je courais, continua-t-elle, essouf-
flée comme si elle était en train de courir en cet
instant même, quand soudain j'ai entendu un coup
de feu. Puis un autre. J'ai su, rien qu'au bruit, que
c'était un fusil de chasse et non une carabine...

– Quelle est la différence ?

– Eh bien, une carabine ne tire qu'une balle et
elle est plus précise. Alors qu'un fusil de chasse
envoie des centaines de petits plombs mortels :
n'importe quel idiot peut te toucher, du moment
qu'il vise dans ta direction.

– Et c'est ce qu'il a fait ?

Ben ne souriait plus. Il était sincèrement inquiet.

– Oui. Mais heureusement, j'étais déjà loin et les
plombs n'ont fait que m'effleurer. J'entendais aussi
les chiens aboyer. Ils étaient à mes trousses ; et je
n'étais encore qu'une petite fille ! S'ils m'avaient
rattrapée, ils m'auraient déchiquetée...

Ben s'étrangla d'horreur.

– Mais alors, comment t'es-tu sauvée ?

– J'ai pris un risque. Je ne pouvais pas semer les chiens dans la forêt : même pour un champion du monde de course à pied, c'était mission impossible. Mais je connaissais bien ces bois. J'y avais joué pendant des heures et des heures avec mes frères et sœurs. Je savais que si seulement je parvenais à traverser la rivière, les chiens perdraient ma trace.

– Pourquoi ?

– Les chiens sont incapables de suivre une piste dans l'eau. Et il y avait un grand chêne juste de l'autre côté de la rivière. En grimpant dedans, j'avais une chance d'être sauvée.

Ben ne pouvait même pas imaginer sa grand-mère montant un escalier, alors grimpant aux arbres... Aussi loin que remontaient les souvenirs du garçon, elle avait toujours vécu dans son pavillon.

– D'autres coups de fusil ont claqué dans le noir et j'ai couru vers la rivière. Il faisait noir, je n'y voyais goutte, j'ai trébuché sur une racine et je me suis étalée de tout mon long dans la boue. En tâchant de me relever, je me suis retournée et j'ai vu un véritable bataillon de cavaliers mené par lord Davenport. Ils portaient des torches enflammées et tous étaient armés de fusils. La forêt entière était illuminée par le feu de leurs torches. J'ai plongé dans la rivière. On était en hiver, comme maintenant, et l'eau était glacée. Le froid m'a saisie, je ne pouvais plus respirer. J'ai plaqué une main sur ma bouche pour étouffer un cri. J'entendais les chiens se rapprocher, encore et toujours, aboyant comme des fous. Ils devaient être au moins une douzaine. En regardant derrière moi, j'ai vu leurs crocs pointus luire dans le clair de lune.

« Donc, j'ai traversé la rivière et tenté de monter à l'arbre. Comme j'avais les mains pleines de boue, les jambes et les pieds mouillés, je glissais le long du tronc. Vite, j'ai frotté mes mains contre ma chemise de nuit et j'ai réessayé. J'ai grimpé comme ça jusqu'à la cime et je n'ai plus bougé. J'ai entendu les chiens et l'armée des hommes de Davenport suivre la rivière vers une autre partie de la forêt. Les aboiements féroces se sont éloignés, et bientôt les flammes des torches n'ont plus été que de petits points de lumière. J'étais sauvée. Je suis restée encore des heures à grelotter dans cet arbre. J'ai attendu l'aube avant de redescendre. Je suis rentrée chez moi sans bruit et me suis reposée quelques instants sur mon lit avant que le soleil se lève.

Ben se représentait parfaitement toutes les scènes qu'elle décrivait. Il était totalement envoûté.

– Est-ce qu'ils sont venus à ta recherche ? demanda-t-il.

– Comme personne ne m'avait vue clairement, Davenport a envoyé ses hommes partout dans le village. Les maisons ont été retournées une par une, à la recherche de la bague.

– Et tu n'as rien dit ?

– J'aurais bien voulu. J'avais tant de remords ! Mais je savais que si j'avouais quoi que ce soit, je m'attirerais de gros ennuis. Lord Davenport me ferait fouetter en place publique.

– Alors, qu'est-ce que tu as fait ?

– Je... je l'ai avalée.

Ben n'en croyait pas ses oreilles.

– La bague, mamie ? Tu as avalé la bague ?

– Je me suis dit que c'était le meilleur endroit où la cacher. Dans mon ventre. Quelques jours plus tard, je l'ai retrouvée en allant aux toilettes.

– Ça a dû te faire mal ! s'exclama Ben.

Son derrière faisait la grimace rien qu'à cette idée. Faire passer une grosse bague en diamant par son postérieur, ça ne devait pas être agréable du tout.

– Oui, j'ai dégusté ! Une vraie torture, à vrai dire, confirma sa grand-mère. Mais ce qui était bien, c'est que notre maisonnette avait déjà été fouillée de fond en comble, du sol au plafond, devant et derrière… pas mon derrière à moi, celui de la maison… enfin bref… (Ben pouffa de rire) … et que les hommes de Davenport étaient partis fouiller le village d'à côté. Alors, une nuit, je suis allée cacher la bague dans les bois. Je l'ai mise à un endroit où personne ne la chercherait jamais. Sous un rocher, dans la rivière.

– Ça, c'est malin !

– Mais cette bague fut la première d'une longue série, Ben. Ce vol avait été le plus grand frisson de ma vie. Toutes les nuits, dans mon lit, je ne rêvais plus que d'une chose : voler des diamants, encore des diamants, toujours plus de diamants. Cette bague n'a été que le début… (là, mamie baissa la voix et plongea son regard dans les jeunes yeux innocents de Ben) … le début d'une existence vouée au crime.

13.

Une existence vouée au crime

Les heures passèrent à toute vitesse tandis que mamie lui racontait comment elle avait volé chacun des trésors étincelants étalés sur le tapis du salon. L'énorme diadème appartenait à la femme du président des États-Unis, la *first lady*. Mamie expliqua que plus de cinquante ans auparavant, elle avait traversé l'Atlantique sur un paquebot de croisière rien que pour aller le dérober à la Maison Blanche. Et que pendant le trajet de retour, elle avait dévalisé toutes les riches clientes du paquebot ! Elle avait fini par être prise la main dans le sac par le capitaine, et s'était enfuie en plongeant par-dessus

bord. Elle avait regagné l'Angleterre à la nage (ils n'étaient plus très loin de la côte), avec tous les bijoux dans sa culotte.

Elle expliqua aussi à Ben que les scintillantes boucles d'oreilles en émeraudes qu'elle gardait

depuis des décennies dans son petit pavillon valaient plus d'un million de livres chacune. Elles avaient en effet appartenu à une maharani, c'est-à-dire l'épouse d'un maharajah immensément riche. Pour ce larcin, la vieille dame s'était servie d'un troupeau d'éléphants. Elle avait dressé les pachydermes à monter les uns sur les autres pour former une immense échelle qui lui avait permis d'escalader le mur du fort indien où les boucles d'oreilles étaient gardées, dans la chambre à coucher royale.

Mais l'histoire la plus stupéfiante était encore celle de la broche composée d'un énorme diamant bleu foncé entouré de saphirs qui brillait en ce moment même sur le tapis. Mamie révéla à Ben que ce joyau avait appartenu à la dernière impératrice de Russie, qui avait régné avec son mari le tsar avant la révolution communiste de 1917. Il avait passé de longues années derrière une vitrine blindée, au musée de l'Ermitage, à Saint-Pétersbourg, gardé vingt-quatre heures sur vingt-quatre, sept jours sur sept, trois cent soixante-cinq jours par an, par un bataillon d'effrayants soldats russes.

Ce cambriolage avait été le plus compliqué de tous à mettre en œuvre. Mamie s'était cachée dans une armure vieille de plusieurs siècles, qui datait de l'époque de la Grande Catherine. Chaque fois que les gardes regardaient ailleurs, elle avançait de quelques millimètres, et elle avait progressé ainsi jusqu'à la broche. Cela lui avait pris une semaine.

– Comme quand on joue à 1, 2, 3, Soleil ? demanda Ben.

– Exactement ! Ensuite, j'ai fracassé la vitrine avec la hallebarde qui accompagnait l'armure, et je me suis emparée de la broche.

– Et comment t'es-tu sauvée cette fois-là ?

– Excellente question… c'est vrai, comment me suis-je sauvée ? (Elle semblait soudain prise de court.) Pardon, c'est l'âge, mon garçon. J'ai des trous de mémoire.

Ben lui adressa un sourire encourageant.

– Ça ne fait rien, mamie.

Mais elle ne tarda pas à se ressaisir.

– Ça me revient ! Je suis vite sortie dans la cour

du musée, j'ai bondi dans le fût d'un énorme canon, et je me suis projetée vers la liberté !

Ben s'efforça un instant d'imaginer le tableau : sa grand-mère, au fin fond de la Russie, volant dans les airs revêtue d'une armure ancienne. C'était difficile à croire, tout de même... mais comment expliquer autrement que cette petite vieille soit en possession d'une éblouissante collection de joyaux d'une valeur inestimable ?

Ben adorait décidément les folles aventures que lui racontait sa mamie. À la maison, on ne lui avait jamais lu d'histoires. Ses parents s'étaient toujours contentés d'allumer la télévision et de s'affaler sur le canapé en rentrant du travail. Entendre parler la vieille dame était tellement passionnant qu'il aurait voulu emménager avec elle. Il aurait pu l'écouter des journées entières.

— Il ne doit plus y avoir un bijou au monde que tu n'aies pas volé ! dit-il.

– Oh, si, mon petit. Attends, qu'est-ce que c'est que ça ?

– Quoi donc ?

Sa grand-mère avait le doigt tendu vers un point situé derrière lui, le visage figé dans une expression d'horreur.

– C'est... c'est...

– *Quoi ?* chevrota Ben sans oser se retourner pour voir ce qu'elle désignait ainsi.

Un frisson lui parcourut l'échine.

– Quoi que tu fasses, lui dit sa mamie... ne te retourne pas.

14.

Un voisin fouineur

C'était plus fort que lui : Ben ne put s'empêcher de jeter un coup d'œil vers la fenêtre. Il vit une silhouette noire, coiffée d'un chapeau étrange, qui les regardait à travers la vitre poussiéreuse ; mais cela ne dura qu'un bref instant, et elle disparut aussitôt.

– Il y avait quelqu'un qui nous épiait, murmura-t-il, le souffle court.

– Je sais. Je t'avais bien dit de ne pas regarder.

– Tu veux que je sorte voir qui c'était ? demanda-t-il en s'efforçant de cacher qu'il était absolument terrifié. (À vrai dire, il aurait préféré que ce soit sa mamie qui aille voir.)

– Je te parie que c'était mon fouineur de voisin, M. Parker. Il habite au numéro 7, et il m'espionne en permanence avec son chapeau mou.

– Mais pourquoi ?

La grand-mère haussa les épaules.

– Je ne sais pas. Il doit être frileux de la tête, j'imagine.

– Hein ? Non, je ne parlais pas du chapeau. Je voulais dire : pourquoi est-ce qu'il t'espionne ?

– C'est un ancien militaire. Depuis qu'il est à la retraite, il dirige la milice de voisinage du lotissement Tougris.

– Qu'est-ce que c'est, une milice de voisinage ?

– C'est un groupement de voisins qui guettent les cambrioleurs. Mais pour M. Parker, c'est surtout une excuse pour se mêler de ce qui ne le regarde pas et fourrer son nez dans les affaires des autres. Souvent, quand je rentre du supermarché avec mon cabas plein de choux, je le vois caché derrière ses rideaux, qui m'observe avec des jumelles.

– Est-ce qu'il a des soupçons ? s'enquit Ben, de plus en plus paniqué.

Le garçon n'avait aucune envie d'être jeté en prison pour association de malfaiteurs et complicité de recel. Il ne savait pas précisément ce que signifiait « complicité de recel », mais il savait une chose : c'était un crime. Et il en savait une autre : il était trop jeune pour finir ses jours derrière les barreaux.

– Il a des soupçons sur tout le monde. Il va falloir le garder à l'œil, mon jeune ami. Cet homme est une vraie menace.

Ben regarda par la fenêtre. Il ne vit personne.

D D D D D D D D R R R R R R R R I I I I I I I I I I N N N N N N N N G G G G G G G G G G G!!!!!!!!!!

Son cœur rata une marche. Ce n'était que la sonnette, mais si jamais M. Parker entrait, il trouverait suffisamment de preuves pour les faire envoyer, lui et sa grand-mère, tout droit au cachot.

– N'ouvre pas ! souffla-t-il à sa mamie.

Et, courant jusque sur le tapis, il se hâta de ramasser les pierres précieuses pour les remettre dans la boîte le plus vite possible.

– Comment ça, ne pas ouvrir ? Il sait que je suis chez moi, il vient de nous voir par la fenêtre. Toi, va donc ouvrir pendant que je cache les bijoux.

– Moi ?

– Oui, toi ! Dépêche-toi un peu !

D D D D D D D D D R R R R R R R R R I I I I I I I I I I I N N N N N N N N N G G G G G G G G G G G G!!!!!!!!!!

Le coup de sonnette était plus insistant, cette fois : M. Parker avait laissé son doigt encore plus longtemps sur le bouton. Ben inspira à fond et parcourut calmement le couloir de l'entrée.

Il ouvrit la porte.

Un homme se tenait sur le perron, coiffé d'un chapeau tout à fait ridicule. Tu ne me crois pas ? Regarde à quel point il était ridicule, ce chapeau :

– Oui ? couina Ben d'une petite voix étranglée.
Je peux vous aider ?

M. Parker glissa un pied dans l'embrasure pour
qu'on ne puisse pas lui refermer la porte au nez.

– Qui es-tu ? aboya-t-il d'une voix nasillarde.

Il avait un très grand nez de fouine, qui le faisait paraître encore plus fouineur qu'il n'était, alors qu'il était déjà extrêmement fouineur. Et ce nez, bien sûr, lui donnait une voix nasillarde, qui rendait tout ce qu'il disait un peu risible, même quand il était très sérieux. Ses yeux, en revanche, étaient rouges comme ceux d'un démon.

– Je suis un ami de grand-mère, balbutia Ben.

Pourquoi est-ce que j'ai dit ça ? songea-t-il aussitôt. À vrai dire, il était plongé dans une terreur épouvantable, et sa langue s'enfuyait avec lui.

– Un ami ? gronda hargneusement le voisin, qui poussa la porte et, étant bien plus grand que Ben, entra sans se gêner.

– Son petit-fils, je veux dire, monsieur Parker, bredouilla le garçon en reculant vers le salon.

– Pourquoi est-ce que tu me mens ? demanda l'homme, avançant toujours à mesure que Ben reculait.

On aurait dit qu'ils dansaient le tango.

– Je ne vous mens pas !

Ils étaient arrivés à la porte du salon.

– Vous ne pouvez pas entrer ! s'écria Ben en pensant aux joyaux étalés partout sur le tapis.

– Et pourquoi cela ?

– Euh... heu... Parce que ma mamie fait son yoga en petite tenue !

Il avait bien fallu trouver une excuse spectaculaire pour empêcher M. Parker de faire irruption dans le salon et de voir les bijoux. Ben était pratiquement sûr d'avoir marqué un point, car le voisin s'arrêta et fronça les sourcils.

– Du yoga en petite tenue ? Et tu imagines que je vais te croire ? Il faut que je parle à ta grand-mère, tout de suite. Alors écarte-toi de mon chemin, vilain vermisseau !

Et l'homme, poussant Ben sur le côté, ouvrit la porte du salon.

Mais mamie avait dû entendre leur conversation, car lorsque le voisin indiscret surgit dans la pièce, elle était en culotte et soutien-gorge, dans la posture de l'arbre.

– Monsieur Parker, que faites-vous ici ? s'écria-
t-elle, faussement horrifiée qu'il l'ait vue à demi nue.

Le voisin détourna vivement la tête. Comme il

ne savait pas où regarder, il fixa son regard sur le tapis. Qui était encore plus nu que la grand-mère : il n'y avait plus rien dessus.

– Pardon, madame, mais je dois vous le demander : où sont ces bijoux que j'ai vus tout à l'heure ?

Ben repéra la boîte en fer-blanc commémorative qui dépassait derrière le canapé. Il la repoussa subrepticement hors de vue avec son pied.

– Quels bijoux, monsieur Parker ? Vous m'avez encore espionnée ? rétorqua la vieille dame, toujours en sous-vêtements.

– C'est que, je, euhhh... J'avais de bonnes raisons de le faire. Je me suis méfié en voyant un jeune homme entrer chez vous. Je me disais que c'était peut-être un cambrioleur.

– Je l'ai fait entrer par la porte, voyons !

– Il aurait pu être un cambrioleur très charmeur. Il aurait pu abuser de votre confiance.

– C'est mon petit-fils. Il dort ici tous les vendredis soir.

– Ah ! Mais nous ne sommes pas vendredi ! pérora M. Parker. Vous comprenez donc que mes soupçons aient été éveillés. Et en tant que chef de la milice de voisinage du lotissement Tougris, je me dois de rapporter à la police tout événement suspect.

– Et moi, j'ai bien envie de rapporter vos agissements, à *vous*, monsieur Parker ! intervint Ben.

Sa grand-mère le regarda avec curiosité.

– Et pour quel motif ?

Les yeux du voisin s'étaient encore rétrécis. Ils étaient désormais si rouges qu'on aurait pu croire que sa cervelle avait pris feu.

– Pour espionnage de vieille dame en sous-vêtements ! lança le garçon, triomphant.

Mamie lui fit un clin d'œil.

– Elle était tout habillée quand j'ai regardé par la fenêtre...

– C'est ce qu'ils disent tous ! protesta la grand-mère. Allez, sortez de chez moi avant que je vous fasse arrêter pour voyeurisme !

– Vous n'avez pas fini d'entendre parler de moi ! lança M. Parker, dépité. Au revoir !

Sur quoi il tourna les talons et s'en alla. Ben et sa mamie entendirent la porte d'entrée claquer derrière lui, et ils coururent à la fenêtre pour le regarder rentrer chez lui d'un pas pressé.

– Je crois qu'on lui a fait peur, commenta Ben.

– Oh, mais il reviendra. Nous allons devoir être très prudents.

– Oui, souffla le garçon, carrément terrifié. Il faut planquer cette boîte ailleurs.

Mamie réfléchit un instant.

– Tu as raison, je vais la cacher sous les lattes du plancher.

– D'accord. Mais avant...

– Oui, Ben ?

– Tu devrais peut-être te rhabiller, mamie.

15.

Téméraire et palpitant

Une fois rhabillée, la grand-mère s'assit avec son petit-fils sur le canapé.

– Mamie, murmura Ben. Avant la visite de M. Parker, tu étais en train de me dire qu'il existait encore un joyau que tu n'avais jamais volé.

– Il existe en effet un trésor tout à fait unique, sur lequel tous les grands cambrioleurs du monde rêvent de mettre la main. Mais c'est impossible. Ce n'est tout simplement pas faisable.

– Je parie que toi, tu saurais, mamie. Tu es la plus grande voleuse que l'univers ait jamais connue !

– Merci, mon poussin. C'est peut-être bien vrai, ou plutôt, ça l'était… et voler ces joyaux en particulier est sans doute le rêve de tous les grands voleurs… mais c'est un rêve… inaccessible.

– *Ces* joyaux ? Il y en a plusieurs ?

– Oui, mon chéri. La dernière fois que quelqu'un a tenté de les dérober, c'était il y a plus de trois cents ans. Un certain capitaine Blood, je crois. Et je ne suis pas sûre que cela ferait plaisir à la reine…

Elle eut un petit gloussement.

– Tu ne veux quand même pas dire…

– Si, mon garçon. Je veux parler *des joyaux de la Couronne* !

Ben avait tout appris sur les joyaux de la Couronne à l'école. L'histoire était d'ailleurs une des rares matières à l'intéresser, principalement en raison des horribles châtiments et tortures de l'ancien temps. « Écartelé, pendu, décapité » était son mode d'exécution favori, mais il aimait aussi le supplice de la roue, le bûcher et, bien sûr, le fer rouge enfoncé dans le derrière. Comment ne pas adorer ?

À l'école, donc, Ben avait appris que les joyaux de la Couronne étaient un assortiment de couronnes, épées, sceptres, bagues, bracelets et globes dont certains étaient vieux de presque mille ans. On s'en servait quand un nouveau roi ou reine était couronné, et depuis 1303 (l'année, pas l'heure), tous ces trésors étaient sous clé dans la Tour de Londres.

Il avait supplié ses parents de l'emmener en visite là-bas, mais ceux-ci avaient gémi que la capitale était trop éloignée de chez eux (alors qu'elle ne l'était pas tant que ça).

À vrai dire, ils n'allaient jamais nulle part en famille. Quand il était plus petit, Ben, silencieux et émerveillé, écoutait ses camarades raconter leurs myriades d'aventures. Des voyages au bord de la mer, des visites de musées, même des vacances à l'étranger ! Le nœud qu'il avait déjà dans le ventre se resserrait encore lorsque venait son tour de raconter ses propres exploits. Il avait trop honte pour avouer que tout ce qu'il avait fait pendant les vacances, c'était manger des plats tout prêts réchauffés au micro-ondes et regarder la télévision ; si bien qu'il inventait des séances de cerf-volant, des arbres escaladés et des explorations de châteaux.

Mais à présent, il avait la meilleure histoire de tous les temps à raconter. Sa grand-mère était une voleuse de bijoux internationale. Un gangster ! Il n'y avait qu'un petit détail gênant : si jamais il la racontait, cette histoire, sa mamie serait jetée en prison, voire aux oubliettes.

Tout à coup, Ben se rendit compte qu'il tenait là une occasion unique de faire quelque chose de fou, de téméraire, de palpitant.

– Je peux t'aider, dit-il d'un ton calme et détaché – alors que son cœur battait la chamade.

– M'aider à quoi ? s'enquit sa grand-mère, un peu perplexe.

– À voler les joyaux de la Couronne, bien sûr !

16.

Non, c'est non

– Non ! cria mamie tandis que son appareil auditif sifflait furieusement.

– Si ! cria Ben à son tour.

– Non !

– Si !

– Nooon !

– Sssssi !

– N O O O O O O O O O O O O O O O O O O O O O O O O O O N !

– S S S S S S S S S S S S S S S S S S I I I I I I I I I I I I I I I I !

Ils continuèrent ainsi pendant plusieurs minutes,

mais, soucieux d'économiser du papier, et par conséquent d'épargner des arbres, et par conséquent de protéger les forêts, et par conséquent la nature, et par conséquent le monde entier, je juge plus sage et raisonnable d'abréger.

– Il n'est absolument pas question que je laisse un garçon de ton âge m'accompagner sur un casse ! Surtout pour dérober les joyaux de la Couronne ! Et de toute manière, c'est impossible ! Ce n'est simplement pas faisable ! s'exclama la grand-mère de Ben.

– Il doit pourtant bien y avoir un moyen...

– Ben, quand je dis non, c'est non !

– Mais...

– Il n'y a pas de « mais ». C'est non. Non, non et non.

Ben était amèrement déçu, mais la vieille dame restait inflexible.

– Puisque c'est comme ça, je vais rentrer à la maison, dit-il d'un ton misérable.

Mamie elle-même semblait un peu déprimée.

– Oui, mon chéri, cela vaut mieux. Ton papa et ta maman vont beaucoup s'inquiéter pour toi.

– Ils ne...

– Ben ! Rentre chez toi ! Tout de suite !

Ben s'attristait de voir sa grand-mère se comporter comme tous les adultes barbants alors qu'elle commençait juste à devenir intéressante. Il lui obéit quand même. Ne fût-ce que parce qu'il ne voulait pas éveiller les soupçons de ses parents, il fila chez lui et escalada la gouttière jusqu'à la fenêtre de sa chambre avant de dévaler l'escalier pour rejoindre le salon.

Mais évidemment, ses parents ne s'étaient pas inquiétés le moins du monde ; ils étaient bien trop occupés à planifier son ascension vers le firmament des stars pour remarquer qu'il s'était absenté.

Papa avait appelé sans relâche la *hotline* du concours national de danse pour les moins de douze ans, jusqu'à ce qu'une opératrice lui réponde et inscrive son fils. Maman avait raison, la compétition avait bien lieu à l'hôtel de ville, à peine deux semaines plus tard. Il n'y avait pas un instant à perdre, et elle devait consacrer tout son temps à la confection du costume de Bombe d'amour.

– Comment se passent les répétitions, bonhomme ? lui demanda son père. Tu as encore transpiré, on dirait.

– Tout se passe bien, p'pa, merci. Je prépare quelque chose de vraiment spectaculaire pour le grand soir.

Ben s'en voulut, décidément, de ne pas savoir tenir sa langue. *Quelque chose de spectaculaire ?* Il aurait déjà de la chance s'il ne s'assommait pas en tombant.

– Eh bien, nous avons hâte de voir ça. C'est pour bientôt ! dit maman sans même lever le nez de la machine à coudre, où elle était en train de fixer des centaines de cœurs rouges étincelants le long de la couture du pantalon en Lycra.

Ben avala nerveusement sa salive.

– Tu sais, m'man, je préfère répéter tout seul pour l'instant... jusqu'à ce que ce soit complètement prêt à être vu.

– Oui, oui, je comprends, le rassura sa mère.

Il soupira de soulagement. Il venait de gagner encore un peu de temps.

Mais seulement un petit peu.

Dans deux semaines, il n'en devrait pas moins exécuter un solo de danse devant toute la ville.

Il s'assit sur son lit et plongea la main sous son matelas pour y chercher sa pile de *Plomberie Hebdo*. En feuilletant un numéro datant de l'année précédente, il tomba sur un article, intitulé « Petite histoire de la plomberie », consacré aux plus anciennes des canalisations de Londres. Il tourna frénétiquement les pages.

Eurêka ! Il avait trouvé !

Il y a plusieurs siècles, la Tamise – le fleuve qui traverse la capitale, et sur les rives duquel se situe la Tour de Londres – était un égout à ciel ouvert. (En jargon technique, cela signifie qu'elle était remplie de pipi et de caca.) Les bâtiments qui longeaient les berges étaient tout bêtement équipés de gros tuyaux qui partaient des cabinets pour se déverser dans ses eaux.

Le magazine reproduisait des schémas historiques détaillés représentant la plomberie de divers édifices célèbres de la capitale et indiquant à quel endroit leurs anciens conduits d'évacuation rejoignaient la rivière.

Et...

Ben suivit tout l'article du doigt...

Oui ! Il y avait un plan des tuyaux de la Tour de Londres !

La solution pour voler les joyaux de la Couronne se trouvait peut-être là. L'un des conduits faisait presque un mètre de diamètre : c'était suffisant pour qu'un enfant le remonte à la nage. Et peut-être suffisant pour une petite mamie aussi !

L'article expliquait également qu'à l'époque où
la plomberie avait été modernisée et où le tout-
à-l'égout avait été installé, beaucoup d'anciennes
canalisations avaient tout bonnement été laissées
en place, parce que c'était plus simple que de les
déterrer.

Les implications possibles de cette information

étaient vertigineuses. Il y avait une chance, une chance infime mais réelle, pour qu'un énorme tuyau soit resté là, entre la Tamise et la Tour de Londres, et que la plupart des gens, hormis les spécialistes en plomberie les plus distingués, aient oublié jusqu'à son existence. Ben lui-même n'en aurait rien su s'il n'avait été abonné à *Plomberie Hebdo*.

Sa grand-mère et lui pourraient remonter dans ce tuyau et pénétrer ainsi dans la Tour...

Papa et maman ont tout faux, pensa-t-il. *La plomberie mène à tout !*

Bien sûr, il s'agissait d'une canalisation d'égout, ce qui n'était pas idéal ; s'il y restait des excréments, ils seraient vieux de plusieurs siècles. Ben ignorait si c'était une bonne ou une mauvaise nouvelle.

À ce moment-là, le plancher grinça et la porte de sa chambre s'ouvrit brusquement. Sa mère entra sans façon, tenant à la main un grand morceau de Lycra qui, malheureusement, ressemblait fort à un costume de Bombe d'amour.

Ben se dépêcha de dissimuler le magazine sous son lit, ce qui ne manqua pas de lui donner un air terriblement coupable.

– Je voulais juste te faire faire un essayage, lui dit sa mère.

– Ah, oui.

Il s'assit maladroitement tout en tâchant de repousser du pied les revues qui dépassaient.

– Qu'est-ce que c'est que ça ? demanda-t-elle. Qu'est-ce que tu as caché quand je suis entrée ? *Playboy* ?

– Non ! s'écria le garçon, rouge d'embarras.

Les apparences étaient contre lui : tout semblait effectivement indiquer que c'était un magazine cochon qu'il cachait sous son lit.

– Il ne faut pas avoir honte, Ben. C'est très sain que tu commences à t'intéresser aux filles.

Oh, non ! songea-t-il. *Elle va se mettre à me parler des filles, maintenant !*

– C'est tout à fait normal, à ton âge, continua-t-elle.

– Mais non ! Les filles, c'est dégoûtant !

– Non, Ben. C'est la chose la plus naturelle au monde...

C'est pas vrai, elle ne va pas s'arrêter !

– LE DÎNER VA ÊTRE PRÊT, CHÉRIE ! cria papa d'en bas. QU'EST-CE QUE TU FAIS LÀ-HAUT ?

– J'AI UNE CONVERSATION SUR LES FILLES AVEC BEN ! brailla maman en retour.

Ben était tellement écarlate que, s'il avait ouvert la bouche assez grand, on aurait pu le prendre pour une boîte à lettres (car les boîtes à lettres, à Londres et dans ses environs, sont aussi rouges que les autobus à impériale et les cabines téléphoniques).

– QUOI ?

– LES FILLES ! J'AI UNE CONVERSATION AVEC NOTRE FILS À PROPOS DES FILLES !

– AH, D'ACCORD ! J'ÉTEINS LE FOUR, ALORS !

– Donc, Ben, si jamais tu as besoin de...

DIDING, DIDING, DIDING...

C'était le portable de maman qui sonnait dans sa poche.

– Pardon, chéri, dit-elle en le portant à son oreille. Manu, je peux te rappeler ? J'étais en train d'avoir une conversation avec Ben à propos des filles ! OK, merci, bye.

Elle raccrocha et se tourna de nouveau vers son fils.

– Pardon, où en étais-je ? Ah, oui. Si jamais tu as besoin de bavarder un peu avec moi à propos des filles, n'hésite surtout pas. Tu sais que tu peux compter sur ma discrétion.

17.

Les préparatifs du casse

Le lendemain matin, pour la première fois de sa vie, Ben se rendit au collège en gambadant.

Grâce à son amour de la plomberie, il avait appris la veille que la Tour de Londres avait un point faible. L'édifice le plus impénétrable du monde, où les criminels les plus redoutables avaient été emprisonnés et exécutés, avait une faille fatale : un large tuyau d'égout qui le reliait à la Tamise.

Cette ancienne canalisation serait leur ticket d'entrée et de sortie, à sa mamie et à lui ! Le plan était tout à fait brillant, et le corps de Ben exprimait son enthousiasme pour cette incroyable découverte.

C'est pourquoi il gambadait.

Désormais, il attendait avec une folle impatience le vendredi soir suivant, où ses parents se débarrasseraient de lui une fois plus en le collant chez sa grand-mère.

Là, il saurait convaincre la vieille dame qu'à eux deux, ils étaient capables de dérober les joyaux de la Couronne. Il lui apporterait le schéma de *Plomberie Hebdo* qui détaillait le système d'évacuation des eaux usées de la Tour de Londres. Au lieu d'aller se coucher, ils pourraient passer la nuit entière à fignoler dans ses moindres détails le déroulement du cambriolage le plus audacieux de tous les temps.

Le problème était qu'une longue semaine de cours, de professeurs et de devoirs le séparait encore de ce vendredi soir. Toutefois, il était bien décidé à la mettre à profit.

En séance d'informatique, il se renseigna sur les joyaux de la Couronne et mémorisa la page Web qui leur était consacrée.

En histoire, il questionna son professeur sur la Tour de Londres et sur le lieu exact où étaient enfermés les joyaux. (Dans la Maison des Joyaux, si vous voulez tout savoir.)

En géographie, il dégota un atlas des îles Britanniques et établit précisément l'emplacement de la Tour le long de la Tamise.

En sport, au lieu de faire exprès d'oublier accidentellement ses affaires comme d'habitude, il fit quelques pompes supplémentaires afin d'avoir les bras assez forts pour se hisser dans le tuyau qui menait à la Tour.

En maths, il demanda au professeur combien de rouleaux de Mentos on pouvait acheter avec cinq milliards de livres (car telle était, disait-on, la valeur des joyaux de la Couronne). Les Mentos étaient, de loin, les bonbons préférés de Ben.

La réponse, soit dit en passant, est plus de cinq milliards de rouleaux, ou soixante milliards de Mentos. De quoi tenir au moins un an.

Et avec Raj, on pouvait être assuré de recevoir quelques rouleaux gratuits en prime.

En français, Ben apprit à dire : « Je ne sais rien sur le vol des... comment dites-vous... des "joyaux de la Couronne", je ne suis qu'un pauvre paysan français », au cas où il serait obligé de se faire passer pour un pauvre paysan français pour fuir la scène du crime.

En espagnol, il apprit à dire : « Je ne sais rien sur le vol des... comment dites-vous... des "joyaux de la Couronne", je ne suis qu'un pauvre paysan espagnol », au cas où il serait obligé de se faire passer pour un pauvre paysan espagnol pour fuir la scène du crime.

En allemand, il apprit à dire... bon, je pense que tout le monde a compris l'idée.

En sciences, Ben interrogea son professeur sur

les techniques à utiliser pour traverser une vitre blindée. Car ce n'était pas le tout de s'introduire dans la Maison des Joyaux : encore fallait-il ensuite se saisir des joyaux en question, qui étaient protégés par une vitre épaisse de plusieurs centimètres.

En arts plastiques, il fabriqua une maquette détaillée de la Tour de Londres en allumettes, afin de planifier l'audacieux cambriolage à échelle réduite.

Si bien que la semaine s'écoula en un clin d'œil. Jamais l'école n'avait été si amusante. Mais surtout, pour la première fois de sa vie, Ben était impatient de passer du temps avec sa grand-mère.

Lorsque la fin des cours sonna le vendredi soir, il sut qu'il avait tous les éléments en main pour mettre son plan à exécution.

Le vol des joyaux de la Couronne occuperait les journaux télévisés pendant des semaines, agiterait tout le Web, ferait les gros titres des quotidiens de tous les pays du monde. Et pourtant, personne, mais alors vraiment personne, ne pourrait soupçonner que les voleurs n'étaient autres qu'une petite vieille et un garçon de onze ans. Ils allaient réussir le casse du siècle !

18.

Horaires de visite

– Tu ne peux pas aller chez mamie ce soir, déclara papa.

On était vendredi, il était 4 heures de l'après-midi, et Ben venait de rentrer de l'école. C'était bizarre que son père soit présent à cette heure-là. D'habitude, il ne terminait pas son service au supermarché avant 20 heures.

– Mais pourquoi ?

Ben remarqua alors que son père avait les traits crispés.

– Mon fils, j'ai bien peur d'avoir de mauvaises nouvelles.

– Lesquelles ?

Ben sentit qu'il se crispait, lui aussi.

– Mamie est à l'hôpital.

Un peu plus tard, une fois qu'ils eurent enfin trouvé une place de parking, Ben et ses parents franchirent les portes automatiques de l'hôpital. Ben se demanda s'ils allaient réussir à trouver sa grand-mère dans ce dédale. Le bâtiment était immense, d'une hauteur inouïe : un vaste monument dédié à la maladie.

Il y avait des ascenseurs qui vous menaient à d'autres ascenseurs.

Des couloirs longs d'au moins un kilomètre.

Des panneaux partout, que Ben ne comprenait pas :

UNITÉ DE SOINS CORONARIENS
RADIOLOGIE
OBSTÉTRIQUE

SOINS PALLIATIFS
SALLE D'IRM

Des aides-soignants poussaient des patients à l'air hagard sur des brancards ou des fauteuils roulants, tandis que les médecins et infirmières qui les doublaient en toute hâte semblaient ne pas avoir dormi depuis des jours.

Lorsqu'ils rejoignirent enfin le service où était hospitalisée sa grand-mère, au dix-neuvième étage, Ben ne la reconnut pas immédiatement.

Ses cheveux étaient aplatis sur sa tête, elle n'avait pas ses lunettes ni ses dents, et elle ne portait pas ses vêtements habituels mais une blouse d'hôpital standard. On aurait dit que tout ce qui faisait qu'elle était mamie lui avait été retiré, et qu'elle n'était plus qu'une coquille vide.

Ben fut très triste de la voir ainsi, mais s'efforça de le cacher. Il ne voulait pas lui faire de peine.

– Bonjour, mes chéris, dit-elle.

Sa voix était rauque et un peu pâteuse. Ben dut retenir sa respiration pour ne pas fondre en larmes.

– Comment te sens-tu, maman ? lui demanda le père de Ben.

– Pas bien maligne, répondit-elle. Je suis tombée.

– Tombée ? répéta Ben.

– Oui. Mes souvenirs ne sont pas très nets. J'essayais d'attraper une boîte de soupe au chou dans le placard de la cuisine, et voilà que je me suis retrouvée étalée sur le lino, à regarder le plafond. Ma cousine Edna m'a téléphoné plusieurs fois de sa maison de retraite. Comme je ne répondais pas, elle a fait venir une ambulance.

– Mais quand es-tu tombée, mamie ?

– Attends que je réfléchisse… Je suis restée deux jours par terre, ça doit donc remonter à mercredi matin. Je n'ai pas pu me relever pour atteindre le téléphone.

– Je suis désolé, maman, fit le père de Ben d'une petite voix.

Ben ne l'avait jamais vu si bouleversé.

– C'est drôle, je comptais justement vous appeler mercredi, histoire de bavarder un peu, prendre de vos nouvelles... dit maman.

Elle mentait. Jamais de sa vie elle n'avait téléphoné à la vieille dame, et quand c'était mamie qui appelait à la maison, elle écourtait le plus possible la conversation.

– Vous ne pouviez pas savoir, ma chère. On m'a fait passer toutes sortes de tests ce matin pour savoir ce qui n'allait pas ; des radios, des scanners et tout le tralala. J'aurai les résultats demain. J'espère qu'ils ne vont pas me garder ici trop longtemps.

– Moi aussi, dit Ben.

Il y eut un silence gêné. Personne ne savait plus quoi dire ni quoi faire.

Maman donna un coup de coude hésitant à son mari et mima le geste de regarder sa montre. Ben savait qu'elle n'était pas à l'aise dans les hôpitaux. Lorsqu'il avait été opéré de l'appendicite, deux ans auparavant, elle n'était venue le voir que deux fois, et n'avait pas arrêté de se tortiller nerveusement.

– Bien, on va y aller, dit papa.

– Oui, oui, partez, répondit mamie avec de la gaieté dans la voix mais de la tristesse dans les yeux. Ne vous en faites pas pour moi, tout ira bien.

– On ne peut pas rester encore un peu ? insista Ben.

Sa mère le regarda comme s'il la mettait au supplice, ce qui n'échappa pas à son père.

– Non, Ben, allez viens, ta mamie va avoir besoin de dormir d'ici quelques heures. (Il se leva et se prépara à partir.) Je suis très pris, maman, mais j'essaierai de passer pendant le week-end.

Il lui tapota la tête, comme on caresse un chien. C'était un geste maladroit : papa n'était pas très fort en câlins.

Il se tourna vers la porte ; quant à la mère de

Ben, après un faible sourire, elle l'attrapa par le poignet et le tira vers la sortie.

Dans sa chambre, plus tard ce soir-là, Ben tria avec soin toutes les informations qu'il avait collectées au collège pendant la semaine.

On va leur montrer, mamie, pensa-t-il farouchement. *Je le ferai pour toi.* À présent que sa grand-mère était malade, il était plus déterminé que jamais.

Il lui restait jusqu'à l'heure du dîner pour finir de mettre au point le cambriolage le plus fou de tous les temps.

19.

Une petite charge explosive

Le lendemain matin, pendant que ses parents écoutaient des dizaines de chansons afin de trouver la musique idéale pour son numéro de danse, Ben se glissa dehors, sauta sur son vélo et pédala jusqu'à l'hôpital.

Lorsqu'il retrouva enfin la chambre de sa grand-mère, un médecin à lunettes était assis au bord de son lit. Ben n'en courut pas moins à son chevet, impatient de lui exposer son plan.

Le médecin tenait la main de la vieille dame et lui parlait lentement à voix basse.

– Laisse-nous encore un petit moment, Ben, dit-

elle. Le docteur et moi avons à parler de… tu sais…
de choses qui concernent les dames.

– Ah, euh… OK, bredouilla Ben, terriblement
gêné.

Il retourna vers les portes battantes et feuilleta
un exemplaire défraîchi de *Femme d'aujourd'hui*.

Le médecin, en sortant, lui murmura un mot
au passage :

– Navré.

Navré ? songea Ben. *Pourquoi est-il navré ?*

D'un pas hésitant, il s'approcha du lit de sa
grand-mère.

Celle-ci se tamponnait les yeux avec un mouchoir, mais en voyant Ben elle se dépêcha de le
fourrer dans la manche de sa chemise de nuit.

– Est-ce que ça va, mamie ? lui demanda-t-il
doucement.

– Oui, tout va bien. J'avais juste une poussière
dans l'œil.

– Alors pourquoi le docteur m'a-t-il dit qu'il était navré ?

Un instant, elle parut désarçonnée.

– Euh... eh bien, j'imagine qu'il était navré de t'avoir fait perdre ton temps à venir ici. Il se trouve que je suis en pleine forme, tout compte fait.

– C'est vrai ?

– Oui, le docteur m'a donné les résultats des examens. Je pète les flammes !

Ben n'avait jamais entendu cette expression, mais il se dit que, venant de sa grand-mère qui s'y connaissait en flatulences, cela devait signifier « je suis très, très en forme ».

– C'est fantastique, mamie ! s'exclama-t-il. Bon, je sais que tu m'as déjà dit non, mais...

– Vas-tu me reparler de ce que je crois, Ben ?

Il hocha affirmativement la tête.

– Je t'ai dit cent fois non.

– Oui, mais...

– Mais quoi, jeune homme ?

– J'ai trouvé une faille dans la Tour de Londres. Et j'ai passé toute la semaine à travailler sur un plan pour voler les joyaux. Je crois que c'est réellement faisable.

À sa vive surprise, sa grand-mère parut intriguée.

– Tire les rideaux et parle tout bas, souffla-t-elle.

Elle poussa à fond le volume de son appareil auditif.

Ben ferma les rideaux autour de son lit et s'assit à côté d'elle.

– Donc, aux douze coups de minuit, on traverse la Tamise à la nage avec des combinaisons de plongée, des masques et des tubas, et on rejoint l'ancien égout, ici, chuchota-t-il en lui montrant le schéma détaillé paru dans le vieux numéro de *Plomberie Hebdo*.

– Remonter une ancienne canalisation à la nage ?! À mon âge ? dit mamie. Ne sois pas ridicule, mon garçon !

– Chut, pas si fort !

– Pardon.

– Et ce n'est pas ridicule. C'est génial, au contraire. Le tuyau est juste assez large, regarde, là...

La grand-mère se redressa dans ses oreillers pour se pencher sur la page du magazine et étudier attentivement le schéma. En effet, la conduite semblait assez large.

– Bien, continua Ben. En remontant dans le tuyau, on peut entrer dans la Tour de Londres sans se faire repérer. Partout ailleurs, sur le pourtour du bâtiment, il y a des gardes armés, des caméras de surveillance et des capteurs laser. Par tout autre chemin, nous n'aurions pas la moindre chance.

– Oui, oui, oui, mais ensuite, nom d'un petit bonhomme, comment veux-tu qu'on pénètre dans la Maison des Joyaux ? souffla-t-elle.

– Le tuyau aboutit ici, dans les commodités.

– Je te demande pardon ?

– Les commodités. C'est un mot ancien pour dire « les toilettes ».

– Tiens donc.

– Et des commodités, il suffit de courir...

– Hum hum.

– Pardon, je veux dire : il suffit de *marcher* jusqu'à la Maison des Joyaux en traversant la cour. La nuit, la porte est bien sûr fermée à double tour.

– Sans doute même à triple tour !

Mamie ne semblait pas très convaincue. Qu'à cela ne tienne, Ben n'avait qu'à se montrer encore plus convaincant !

– La porte est en acier massif. Il faudra donc attaquer les serrures à la perceuse pour...

– Mais, Ben, les couronnes, les sceptres et tout le bazar sont sûrement protégés par une vitre blindée.

– Oui, mais cette vitre ne résiste pas à la dynamite. Nous allons donc poser une petite charge explosive pour la fracasser.

– Une charge explosive ? éclata mamie. Et où comptes-tu dénicher ça ?

– J'ai piqué quelques produits chimiques dans le labo de sciences, répliqua Ben avec un sourire diabolique. Je suis presque sûr de pouvoir provoquer une explosion assez forte pour venir à bout de cette vitre.

– Mais les gardes l'entendront. Non, non, non. Je regrette, ça ne marchera jamais ! s'exclama-t-elle en tâchant de baisser la voix, sans vraiment y arriver.

– J'ai pensé à ça aussi, figure-toi, objecta Ben,

momentanément enchanté par sa propre ingénio-sité. Il faudra que tu montes dans un train pour Londres plus tôt dans la journée, en te faisant passer pour une gentille vieille dame...

– Mais je *suis* une gentille vieille dame !

– Tu sais ce que je veux dire, poursuivit tranquillement le garçon. Depuis la gare, tu prends le bus 78 jusqu'à la Tour de Londres. Ensuite, tu offres aux Beefeaters[1] du gâteau au chocolat, dans lequel tu auras mis quelque chose pour les endormir.

– Ah, je pourrais utiliser mon somnifère spécial aux herbes !

– Euh, oui, très bien. Donc, les gardes mangent le gâteau au chocolat, et quand viendra la nuit, ils dormiront profondément.

---

1. Les Beefeaters sont les gardes de la Tour de Londres. Ils sont habillés comme dans l'ancien temps, c'est-à-dire qu'ils portent un costume rouge à galons et un chapeau ridicule. *(Note de la traductrice.)*

– Du gâteau au chocolat ? Ils préféreront sûrement un peu de mon délicieux gâteau au chou maison.

La recette de GÂTEAU AU CHOU de mamie :

Prendre six gros choux bien pourris.
Les écraser au presse-purée.
Verser la purée de chou dans un moule à gâteaux.
Faire cuire au four jusqu'à ce que toute la maison sente le chou.
Attendre un mois que le gâteau soit rance.
Couper en tranches et servir (sac à vomi en option).

Ben, gêné, se tortilla un peu.

– Euhhh…

Il ne voulait pas faire de peine à sa grand-mère, mais à la vérité il était inconcevable que quiconque avale une bouchée de son gâteau au chou, à moins d'avoir un lien de parenté direct avec elle – et même dans ce cas, la bouchée était recrachée aussitôt que la dame avait le dos tourné.

– Je pense qu'un gâteau au chocolat du supermarché, c'est le plus sûr.

– Eh bien, je vois que tu as pensé à tout ! Tu m'impressionnes, tu sais ? L'idée de passer par cette ancienne canalisation, c'est un coup de génie.

Ben en rougit de fierté.

– Merci.

– Mais comment en as-tu appris l'existence ? On ne vous enseigne quand même pas ça à l'école, de nos jours, si ? Les canalisations, et tout ça ?

– Non. C'est juste que... la plomberie a toujours été ma passion. Je me suis rappelé qu'il avait été question des anciens égouts dans mon magazine préféré. (Il brandit son *Plomberie Hebdo*.) C'est mon rêve, de devenir plombier.

Il baissa la tête, certain que sa grand-mère allait le dénigrer ou se moquer de lui.

– Pourquoi regardes-tu tes chaussures ? s'étonna-t-elle.

– Euh... Je sais bien que c'est idiot de vouloir devenir plombier. Je sais que je devrais viser quelque chose de plus intéressant.

Il se sentait virer au cramoisi.

Mamie lui prit le menton et lui releva doucement la tête.

– Rien de ce que tu feras ne pourra jamais être idiot ou inintéressant, Ben, dit-elle. Si tu veux devenir plombier, si c'est vraiment ton souhait, rien ni personne ne pourra t'en empêcher. Tu comprends ? La seule chose que l'on ait à faire dans la vie, c'est poursuivre son rêve. Tout le reste est une perte de temps.

– Je... je te crois.

– J'espère bien. Franchement ! Tu dis que la plomberie est une idiotie, mais te voilà en train de préparer le vol des joyaux de la Couronne, nom d'une pipe... et tout ça, grâce à la plomberie !

Ben sourit. Elle avait peut-être raison, finalement.

– Mais j'ai une question à te poser, Ben.

– Oui ?

– Comment procède-t-on pour s'enfuir ? Tout
ton plan ne vaut rien si nous sommes pris sur le
fait, mon jeune ami.

– Je le sais bien, mamie. J'ai donc pensé qu'on
devrait repartir par où on sera venus, par l'ancien
égout, et retraverser la Tamise dans l'autre sens.
Elle ne fait que quarante-cinq mètres de large à
cet endroit, et j'ai mon brevet des cent mètres.
C'est du gâteau !

Sa grand-mère se mordit la lèvre. Visiblement,
elle n'était pas convaincue que toute l'expédition
serait du gâteau. Surtout s'il fallait traverser un
fleuve puissant, à la nage, en pleine nuit.

Ben la regarda avec des yeux remplis d'espoir.

– Bon, mamie, tu marches dans la combine ? Tu
es encore un gangster, oui ou non ?

Pendant un petit moment, elle parut réfléchir intensément.

– S'il te plaît ? insista le garçon. J'ai adoré toutes tes histoires, et j'ai vraiment très envie de faire un coup avec toi. Ce serait le casse ultime : le vol des joyaux de la Couronne. Tu disais toi-même que c'était le rêve de tous les grands gentlemen cambrioleurs. Alors, mamie ? Tu en es ?

Elle contempla le visage rayonnant de son petit-fils.

– Oui, souffla-t-elle au bout d'un instant.

Ben bondit de sa chaise pour la serrer dans ses bras.

– Fantastique !

Elle leva ses bras faibles pour l'embrasser. C'était la première fois depuis des années qu'il lui faisait un vrai câlin.

– Mais à une condition, ajouta la vieille dame avec un sérieux absolu.

– Laquelle ?

– On remet tout en place le lendemain.

20.

Boum boum boum

Ben n'en revenait pas. Ils n'allaient quand même pas prendre tous ces risques, si c'était pour rapporter les joyaux de la Couronne dès le lendemain !

– Mais il y en a pour des millions, des milliards, même…

– Je sais. C'est pourquoi nous nous ferions forcément attraper si nous tentions de les revendre.

– Mais…

– Il n'y a pas de « mais », mon garçon. On remet tout en place le lendemain. Sais-tu comment j'ai échappé à la prison pendant toutes ces années ? Je n'ai jamais rien revendu. Je faisais ça uniquement pour le frisson.

— Tu as tout de même gardé les bijoux, objecta Ben. Tu les as encore dans ta boîte à biscuits.

Mamie battit des paupières.

— Oui, bon, j'étais jeune et inconsciente, à l'époque. Depuis, j'ai appris que c'était mal de voler. Et il faut que tu le comprennes, toi aussi.

Elle le regarda d'un air sévère.

Ben se tortilla sur sa chaise.

— Oui, bien sûr, je comprends...

— C'est un plan génial que tu as imaginé, Ben, je te le dis sincèrement. Mais ces bijoux ne nous appartiennent pas, si ?

— Non. Non, c'est vrai.

Ben se sentait un peu honteux, subitement, d'avoir été tellement horrifié à l'idée de rendre le butin.

— Et n'oublie pas que tous les policiers du pays, peut-être même du monde, seront à la recherche des joyaux de la Couronne. Tout Scotland Yard sera à nos trousses. Si jamais nous étions découverts avec le trésor, nous passerions le restant de nos jours en prison. Ce ne serait peut-être pas trop long pour moi, mais toi, il te reste peut-être soixante-dix ou quatre-vingts ans à vivre.

– Tu as raison.

– Et la reine me semble être une adorable vieille dame. D'ailleurs, nous avons à peu près le même âge, elle et moi. Je m'en voudrais beaucoup de lui donner du souci.

– Moi aussi.

Ben avait vu la reine des tas de fois à la télévision, et en effet, elle paraissait très gentille lorsqu'elle souriait et saluait les foules de la main depuis son gros carrosse.

– Faisons-le, mais juste pour la beauté du geste. D'accord ?

– D'accord ! lança Ben. Alors, quand ? Il faudra que ce soit un vendredi soir, quand papa et maman me déposeront chez toi. Le docteur t'a dit quand tu sortirais d'ici ?

– Hum… oui, oui, bien sûr, il a dit que je pouvais partir quand je voulais.

– Youpi !

– Mais il ne faut pas trop tarder. Que dirais-tu de vendredi prochain ?

– Ce n'est pas un peu rapide ?

– Pas du tout, ton plan me semble très bien pensé, Ben.

– Merci.

Le garçon rayonnait. Pour la première fois de sa vie, il sentait qu'il faisait la fierté d'un adulte.

– Dès que je serai sortie d'ici, j'irai piquer l'équipement qui nous manque encore. Allez, file, Ben. On se revoit vendredi, à l'heure habituelle.

Il rouvrit le rideau. Et tomba nez à nez avec M. Parker, le voisin fouineur !

Surpris, il recula de quelques pas en direction

du lit et fourra vivement le *Plomberie Hebdo* sous son pull.

– Qu'est-ce que vous faites là, vous ? demanda-t-il.

– Il espère assister à ma toilette, sans doute ! lança mamie.

Ben pouffa de rire.

M. Parker, lui, semblait avoir perdu sa langue.

– Non, non, je...

– Infirmière ! Infirmière ! brailla la grand-mère.

– Attendez ! dit le voisin, en pleine panique. Je suis certain de vous avoir entendus parler des joyaux de la Couronne...

Trop tard. L'infirmière, qui était une femme exceptionnellement grande, avec également de très grands pieds, approchait à toute vitesse dans le couloir.

– Oui ? rugit-elle. Il y a un problème ?

– Cet homme m'espionnait à travers les rideaux ! s'offusqua la grand-mère de Ben.

– C'est vrai, ça ? aboya l'infirmière en fusillant M. Parker du regard.

– Euh, mais c'est que j'ai entendu qu'ils…

– La semaine dernière, il l'a épiée pendant qu'elle faisait son yoga en petite tenue, précisa Ben.

Le visage de l'infirmière devint rouge foncé tirant sur le bordeaux.

– SORTEZ IMMÉDIATEMENT DE MON SERVICE, ESPÈCE DE VIEUX COCHON ! hurla-t-elle.

Humilié, M. Parker s'éloigna à reculons de la terrifiante infirmière et fila sans demander son reste. Avant de disparaître, il s'arrêta toutefois entre les portes battantes pour crier à Ben et à sa grand-mère :

– VOUS N'AVEZ PAS FINI D'ENTENDRE PARLER DE MOI !

– Surtout, prévenez-moi si ce bonhomme revient, gronda l'infirmière, dont le visage reprenait peu à peu sa couleur normale.

– Je n'y manquerai pas, lui répondit mamie.

Sur quoi la femme retourna travailler.

– Si ça se trouve, il a tout entendu ! souffla Ben, les dents serrées.

– Peut-être, concéda sa grand-mère. Mais je pense que l'infirmière l'a fait fuir pour de bon !

– Je l'espère.

Cette complication l'inquiétait tout de même énormément.

– Tu veux continuer quand même ? s'enquit la vieille dame.

Ben éprouvait exactement ce que l'on ressent quand on est sur des montagnes russes et que votre chariot monte lentement jusqu'au sommet. On a envie de descendre, et on a envie de rester à bord. Terreur et délices, les deux en un.

– Oui ! affirma-t-il.

– À la bonne heure ! s'écria sa mamie en le gratifiant d'un grand sourire.

Il se tourna pour partir, puis fit à nouveau volte-face.

– Je... je t'aime, mamie, dit-il.

– Moi aussi je t'aime, mon petit Benny, répondit-elle avec un clin d'œil.

Ben fit la grimace. Il avait une grand-mère gangster, à présent, et c'était formidable... mais il allait quand même devoir lui apprendre à l'appeler Ben !

Il courait le long des couloirs, le cœur battant à une vitesse incroyable.

Boum boum boum !

Il était tout électrisé d'excitation. Ce garçon de onze ans, qui n'avait jamais rien fait de remarquable dans sa vie – à part la fois où il avait vomi sur la tête de son copain quand il était monté dans la grande roue à la fête foraine –, était sur le point de prendre part au cambriolage le plus audacieux que le monde ait jamais connu.

Il sortit de l'hôpital, courant toujours, et commença à détacher l'antivol de son vélo. C'est alors

que, relevant la tête, il découvrit un spectacle incroyable.

Sa mamie.

Ce qui, en soi, n'avait rien d'incroyable.

Mais ceci, en revanche, l'était : *elle était en train de s'évader par la fenêtre de l'hôpital.*

Elle avait noué des draps bout à bout et descendait en rappel le long du mur.

Ben n'en croyait pas ses yeux. Il avait beau savoir que sa grand-mère était un vrai gangster, cela dépassait l'imagination !

– Mamie, mais qu'est-ce que tu fais ?! lui cria-t-il à travers le parking.

– L'ascenseur est en panne, mon poussin ! À vendredi ! Ne sois pas en retard !

En arrivant au sol, elle bondit sur son scooter pour personnes âgées et démarra dans un rugissement… enfin plutôt un *ronronnement* de moteur.

Jamais une semaine n'avait été si longue.

Ben l'avait passée à attendre le vendredi. Chaque minute, chaque heure, chaque journée lui avait semblé durer une éternité.

C'était étrange de devoir faire semblant d'être un garçon comme les autres alors qu'il était en réalité un des plus grands génies criminels de tous les temps.

Enfin vint le vendredi. On frappa à la porte de sa chambre.

TOC TOC TOC.

– Alors, fils, tu es prêt ? demanda son père.

– Oui oui ! répondit-il du ton le plus innocent possible, ce qui est très difficile, en fait, quand on se sent extrêmement coupable. Pas besoin de revenir me chercher trop tôt demain matin, mamie et moi allons jouer au Scrabble une bonne partie de la soirée.

— Tu ne vas pas jouer au Scrabble, mon garçon.

— Ah non ?

— Non, fils. Tu ne vas pas chez ta mamie ce soir.

— Oh, non ! Elle est encore à l'hôpital ?

— Pas du tout.

Ben poussa un soupir de soulagement, puis ressentit un picotement d'appréhension.

— Mais alors, pourquoi je ne vais pas chez elle ?

Tout était prêt, le plan était en place, il n'y avait pas de temps à perdre !

— Parce que, dit papa, ce soir, c'est le concours de danse des moins de douze ans ! Enfin, ton heure de gloire est arrivée !

21.

Une chaussure de claquettes

Ben était assis, silencieux, à l'arrière de la petite auto marron, dans sa tenue de Bombe d'amour.

– J'espère tout de même que tu n'avais pas oublié la compétition de ce soir, Ben, dit sa mère en rectifiant son maquillage – et en se faisant un gros trait de rouge sur la joue lorsqu'ils prirent un virage un peu serré.

– Non, m'man, bien sûr que non.

– Ne t'en fais pas, fils, poursuivit papa, très fier de conduire son rejeton vers la gloire. Tu as tellement répété dans ta chambre... Je suis certain que tous les jurés te donneront la note maximale. Rien que des dix !

– Mais… Et mamie ? Elle ne va pas m'attendre ? demanda Ben avec angoisse.

C'était le soir où ils devaient aller voler les joyaux de la Couronne, et il se retrouvait en route pour ce concours alors qu'il n'avait pas esquissé un seul pas de danse de sa vie !

Depuis deux semaines, il évitait systématiquement de penser à cette fichue compétition, mais voilà que le moment était venu.

C'était bien réel.

Il allait devoir exécuter un numéro en solo.

Qu'il n'avait pas préparé.

Dans un théâtre bondé…

– Oh, ne t'en fais donc pas pour mamie, lui dit sa mère. Elle ne sait même pas quel jour on est !

Elle pouffa de rire ; au même instant, comme la voiture s'arrêtait brutalement à un feu rouge, elle s'étala du mascara sur le front.

Ils finirent par arriver à l'hôtel de ville. Ben constata qu'un véritable torrent de costumes en Lycra multicolores se déversait dans le bâtiment.

Si un seul de ses camarades de classe découvrait qu'il était inscrit, il n'y survivrait pas. Les tyrans du collège auraient toutes les munitions voulues pour faire de sa vie un enfer. Pour toujours et à jamais. Et en plus, il n'avait pas répété. Pas du tout. Pas une seule fois. Il ignorait totalement ce qu'il allait pouvoir faire sur scène.

Cette compétition avait pour but de détecter les meilleurs danseurs juniors de la région. Il y avait un prix pour le meilleur couple, un pour le meilleur solo féminin et un pour le meilleur solo masculin.

Si l'on était vainqueur, on était qualifié pour le titre national, et si on le remportait, qualifié pour le titre international.

C'était la première étape d'une existence de star mondiale de la danse. Et l'animateur de la soirée n'était autre que le bellâtre gominé de *Master*

Danse avec les Stars, le chéri de sa mère, Flavio
Flavioli.

– Quelle joie dé voir tant dé beautés rrréou-
nies ce soir, roucoula-t-il avec son accent italien.

Il était encore plus luisant en vrai. Ses cheveux
étaient plaqués en arrière, ses dents éblouissantes
de blancheur, et son costume aussi moulant que
du film Cellophane.

– *Allora*, tout lé monde est prêt à danser la rumba ?

La foule en délire lui répondit :

– Ouiiiiii !

– Flavio né vous entend pas. J'ai dit : tout lé
monde est prêt à danser la rrrumba ?

– Ouiiiii ! hurla de nouveau le public, un peu
plus fort.

En coulisse, Ben écoutait nerveusement. Une
voix stridente de femme cria dans le public : « Je
t'aime, Flavio ! » Une voix qui ressemblait furieusement à celle de sa mère.

Ben observa la loge commune autour de lui. Il

aurait pu se trouver à un congrès des enfants les plus pénibles du monde. Tous semblaient d'une précocité insupportable, affublés de ces hideux costumes en Lycra, barbouillés de bronzage en spray, avec des dents si blanches qu'on aurait pu les voir de la station spatiale internationale.

Ben consulta sa montre avec angoisse, sachant qu'il serait terriblement en retard au rendez-vous avec sa grand-mère. Il attendit, encore et encore, pendant que ses adversaires maquillés comme des carrés d'as dansaient le quickstep et le charleston, la valse viennoise et le tango, le fox-trot et le cha-cha-cha.

Enfin, ce fut son tour. Il se leva lorsque Flavio l'annonça.

– Voici maintenant un enfant du pays qui va nous régaler ce soir avec un numéro en solo. On applaudit Ben !

Flavio quitta la scène d'un pas aérien tandis que le garçon y entrait à pas lourds. Le Lycra de sa tenue de Bombe d'amour lui sciait désagréablement le derrière.

Il s'arrêta, seul, au centre de la piste de danse. Un projecteur était braqué sur lui. La musique démarra. Il pria pour qu'un événement inattendu lui permette de s'échapper. N'importe quoi lui aurait plu, y compris :

Une alerte incendie

Un tremblement de terre

La Troisième Guerre mondiale

Une nouvelle ère glaciaire

Un essaim d'abeilles tueuses

Une météorite venue de l'espace venant heurter la terre et la faisant vaciller sur son axe

Un raz-de-marée

Flavio Flavioli attaqué par des centaines de zombies cannibales

Un ouragan ou un cyclone (Ben ne se rappelait jamais la différence, mais les deux lui convenaient)

Être enlevé par des extraterrestres et ne pas revenir sur Terre avant un bon millier d'années

Des dinosaures passant par une brèche de l'espace-temps pour fracasser le toit et dévorer tout le monde à l'intérieur

Une éruption volcanique, bien que malheureusement il n'y ait pas beaucoup de volcans dans la région

Une invasion de sangsues géantes

Même une invasion de sangsues de taille moyenne aurait fait l'affaire.

Ben n'était pas difficile. Un seul des éléments ci-dessus lui aurait largement suffi.

La musique continua pendant un petit moment, et il se rendit compte qu'il n'avait pas encore fait un geste. Il regarda en direction de ses parents, qui rayonnaient de fierté à voir ainsi leur fils unique sous le feu des projecteurs.

Il regarda ensuite vers les coulisses, où Flavio l'encourageait de son éternel sourire.

Pitié, faites que la Terre s'ouvre sous mes pieds...

Raté.

Il n'avait plus le choix, il fallait qu'il fasse quelque chose. N'importe quoi.

Il se mit donc à remuer les jambes, puis les bras, puis la tête. Aucune de ces parties de son corps ne bougeait en cadence, et pendant les cinq minutes qui suivirent, il s'agita sur toute la piste selon un style qui ne peut être qualifié que d'inoubliable : vous avez beau vouloir l'oublier, vous ne l'oublierez jamais.

Ben tenta de faire un saut à la fin, juste au moment où la musique s'arrêtait, et retomba lourdement avec un gros *boum*.

Il y eut un silence. Ce qu'on appelle *un silence assourdissant*.

Puis, le garçon entendit une paire de mains applaudir. Il releva la tête.

C'était sa mère.

Une deuxième paire de mains se joignit à la première.

Son père.

Pendant quelques secondes, il s'imagina que ce serait peut-être un de ces instants comme on en voit dans les films, où le petit gars qui ne payait pas de mine fait un triomphe totalement inattendu ; que bientôt, tout le public serait debout à acclamer cet enfant du pays qui faisait enfin la fierté de ses proches tout en révolutionnant à jamais la notion même de danse.

Fin.

Eh bien, non. Ce n'est pas ce qui se passa.

Au bout d'un petit moment, ses parents, gênés d'être les seuls à applaudir, s'arrêtèrent.

Flavio revint sur scène.

– Eh bien, c'était… c'était…

Pour la première fois, le bellâtre italien ne savait pas quoi dire.

– Messieurs les jurés, pouvez-vous nous donner vos notes pour Ben, je vous prie ?

– Zéro, dit le premier.

– Zéro.

– Zéro.

Plus qu'un. Ben allait-il obtenir quatre zéros ? Le dernier juré, qui était une femme, dut avoir pitié de ce petit garçon qui se tenait là, en sueur, et qui avait fait honte à sa famille pour des générations et des générations avec cette formidable démonstration d'absence totale de talent. Au dernier moment, elle changea de plaquette sous la table.

– Un, annonça-t-elle.

Mais comme le public la huait et la sifflait, elle corrigea son verdict.

– Pardon, je voulais dire zéro, dit-elle en levant le panneau qu'elle avait prévu au départ.

– Des notes trrrès légèrement décevantes, commenta Flavio, qui faisait de gros efforts pour sourire. *Ma*, jeune Ben, tout n'est pas perdou. Comme tou es le seul garçon à avoir concouru dans la catégorie « solo masculin » ce soir, tou es le vainqueur. Puis-je t'offrir cette souperbe statuette en plastique massif ?

Il empoigna un minable trophée représentant un garçon en train de danser et le tendit à Ben.

– Mesdames et messieurs, on l'applaudit bien fort !

Il y eut à nouveau un grand silence. Même les parents de Ben n'osèrent pas applaudir.

Puis, les huées commencèrent, et les sifflets, et les injures. « REMBOURSEZ ! » « TU DEVRAIS AVOIR HONTE ! » « NUL ! » « SCANDALEUX ! »

Le sourire parfait de Flavio mourut sur ses lèvres. Il se baissa vers Ben pour lui parler à l'oreille.

– Tou as intérêt à sortir d'ici avant dé té faire lyncher.

À ce moment précis, une chaussure de claquettes fut jetée du fond de la salle en direction de la scène. Elle fendit les airs à une vitesse impressionnante. Elle visait sûrement Ben, mais c'est Flavio qu'elle heurta, pile entre les deux yeux, si bien qu'il s'effondra sans connaissance.

Je crois qu'il est temps que je file d'ici, songea Ben.

22.

Une foule en colère (et en Lycra)

Un essaim de danseurs de salon enragés poursuivit la petite auto marron dans la rue. En les regardant à travers le pare-brise arrière, Ben se dit que c'était peut-être la seule et unique fois dans l'histoire mondiale qu'une foule en colère était entièrement vêtue de Lycra.

Papa écrasa l'accélérateur :

VVVVVVVVRRRRR RRRRRRAAAAAAO OOOOOUUUUUUU UUUMMMMMMMM !

... et ils semèrent leurs poursuivants au carre-
four suivant.

– Heureusement que j'étais là pour faire du
bouche-à-bouche à Flavio ! se félicita la mère de
Ben sur le siège passager.

– Il était juste assommé, maman. Il respirait
encore, tu sais.

– On n'est jamais trop prudent, insista-t-elle en
se remettant une couche de rouge à lèvres (l'ancienne étant présentement tartinée sur le visage et
le cou de Flavio).

– En un mot, ta prestation a été épouvantable
et honteuse, commenta alors son père.

– Ça fait deux mots, le corrigea Ben en rica-
nant. Trois, en comptant le « et ».

– Ne fais pas le malin avec moi. Il n'y a pas de
quoi rire, je t'assure. Tu m'as fait honte. Honte !

– Oui, honte, confirma sa mère entre ses dents.

Ben aurait donné n'importe quoi pour disparaître, là, tout de suite. Il aurait donné tout son

passé et tout son avenir pour ne pas être en ce moment sur la banquette arrière de l'auto de ses parents.

– Je suis désolé, m'man. J'aurais voulu vous rendre fiers de moi, sincèrement.

Et c'était vrai : faire honte à ses parents était la dernière chose qu'il souhaitait, même s'il les trouvait parfois complètement idiots.

– Eh bien, tu as une drôle de manière de le montrer.

– C'est juste que je n'aime pas la danse.

– Ce n'est pas la question, intervint papa. Ta mère a passé des heures à te coudre ce costume. (C'est drôle de voir comme les parents se désignent mutuellement par « ton père » ou « ta mère », plutôt que par « papa » et « maman », sitôt qu'on a des ennuis.) Tu n'as fait absolument aucun effort. Je ne pense même pas que tu aies répété une seule fois. Pas une fois ! Ta mère et moi travaillons d'arrache-pied, jour et nuit, pour que tu saisisses les chances que nous n'avons jamais eues, et voilà comment tu nous remercies...

– Avec mépris, dit sa mère.

– Avec mépris.

Une larme unique roula sur la joue de Ben. Il la cueillit sur sa langue. Elle avait un goût amer. Le reste du trajet se passa en silence.

Pas un mot ne fut prononcé non plus lorsqu'ils descendirent de voiture et rentrèrent dans la maison. Aussitôt que son père eut ouvert, Ben fonça dans sa chambre et claqua la porte derrière lui. Il s'assit sur son lit, toujours vêtu en Bombe d'amour.

Jamais il ne s'était senti aussi seul. Il avait des heures de retard pour son rendez-vous avec sa mamie. Il avait déçu non seulement ses parents, mais aussi la personne qu'il en était venu à aimer le plus au monde : sa grand-mère.

Il était trop tard pour aller voler les joyaux de la Couronne.

Ben en était là de ses pensées lorsqu'on frappa légèrement au carreau.

C'était elle.

La vieille dame, revêtue de sa combinaison de plongée, était montée sur une échelle pour atteindre la fenêtre.

— Ouvre-moi ! articula-t-elle derrière la vitre.

Ben ne put s'empêcher de sourire. Il se rendit à la fenêtre et hissa sa mamie à l'intérieur, tel un pêcheur au gros remontant une particulièrement belle prise.

— Tu es très en retard, le gronda-t-elle tandis qu'il la guidait vers son lit.

— Je sais, pardon.

— On avait dit 7 heures. Il est 10 heures et demie. Le somnifère que j'ai donné aux gardes de la Tour va finir par se dissiper, tu sais.

— Je suis vraiment désolé, mamie, c'est une longue histoire.

La grand-mère s'assit sur le lit de Ben et le toisa de la tête aux pieds.

– Et que fais-tu déguisé en carte de Saint-Valentin, comme un crétin ?

– Comme je te le disais, c'est une longue histoire…

Ben trouva tout de même qu'elle était mal placée pour critiquer son accoutrement, alors qu'elle-même arborait une combinaison d'homme-grenouille avec masque et tuba, mais ce n'était pas le moment de se chamailler.

– Vite, mon garçon, enfile cette combinaison et suis-moi par la fenêtre. Je démarre le scooter.

– Alors c'est vrai, mamie ? On va réellement voler les joyaux de la Couronne ?

– Bah… au moins, essayons !

23.

Vingt-deux, v'là les flics !

Ils traversèrent la ville dans un ronronnement de moteur électrique : mamie à l'avant, Ben cramponné derrière elle. Tous deux en combinaison d'homme-grenouille, masque et tuba. Quant au sac à main de la mamie, il était enveloppé dans des kilomètres de film alimentaire et posé dans le panier, à l'avant.

La grand-mère de Ben aperçut Raj qui fermait sa boutique.

– Bonsoir, Raj ! Soyez gentil, n'oubliez pas de me garder des pastilles Vichy pour lundi ! lui cria-t-elle.

Le marchand de journaux les regarda, bouche bée.

— Je me demande ce qu'il a, lui qui est si bavard d'habitude, commenta-t-elle encore.

La route était longue jusqu'à Londres, surtout sur un scooter électrique dont la vitesse maximale était de 5 kilomètres/heure (avec deux passagers).

Au bout d'un moment, Ben se rendit compte que la route s'élargissait : deux voies, puis trois.

– Bon Dieu, on est sur l'autoroute ! cria-t-il tandis que des camions de dix tonnes les frôlaient à toute allure et que le scooter s'envolait presque sur leur passage.

– C'est mal de jurer, tu sais, répondit sa grand-mère. Accroche-toi, je vais m'arrêter !

Un instant plus tard, un camion-citerne particulièrement gigantesque passa dans un vacarme de tonnerre à quelques centimètres de leurs têtes, klaxonnant comme un fou.

– Sale camion de mes fesses ! lança la vieille dame.

– Mamie ! cria Ben, choqué.

– Oups, ça m'a échappé !

Décidément, les adultes ne donnent *jamais* le bon exemple.

– Ne le prends pas mal, mamie, mais je ne suis pas certain que cet engin soit fait pour l'autoroute, dit le garçon.

À ce moment-là, un camion encore plus énorme passa à côté d'eux. Ben sentit les roues du scooter quitter la terre une seconde, soulevées par l'appel d'air.

– Je vais prendre la prochaine sortie, annonça la vieille dame.

Mais avant qu'elle ait pu le faire, des gyrophares bleus se mirent à tourner derrière eux.

– Vingt-deux, v'là les flics ! Voyons si je peux les semer.

Elle appuya sur le champignon, et la vitesse du scooter bondit soudain de 5 à 5,5 kilomètres/heure.

Le véhicule de police se plaça à leur hauteur, et l'agent qui était à l'intérieur leur fit des signes frénétiques pour qu'ils s'arrêtent.

– Mamie, tu devrais te garer, dit Ben. On est fichus !

– Laisse-moi faire, mon poussin.

Elle immobilisa le scooter sur la bande d'arrêt d'urgence ; aussitôt, la voiture de patrouille se gara juste devant, afin de prévenir toute tentative de fuite. C'était une voiture mastoc, à côté de laquelle le minuscule scooter paraissait... minuscule.

– Ce véhicule est-il à vous, madame ? demanda l'agent de police.

Il avait une grosse figure, qu'une petite moustache rendait encore plus grosse par contraste. Il arborait aussi un petit air supérieur suggérant qu'attraper les gens était son plaisir numéro 1 au monde. Ou peut-être son plaisir numéro 2, après les beignets à la confiture. Son badge indiquait qu'il s'appelait l'agent Carr-Hammelmoo.

– Un problème, monsieur l'agent ? demanda mamie d'un air innocent, bien que son masque fût un peu embué par le stress.

– Oui, il y a un problème. L'usage de scooters électriques motorisés est strictement interdit sur l'autoroute.

(D'autres moyens de transport sont également interdits sur l'autoroute, parmi lesquels :

Le skate-board

Le canoë

Les patins à roulettes

L'âne

Le chariot de supermarché

Le monocycle

La luge

Le tricycle

Le chameau

Le tapis volant

L'autruche de course.)

– Merci de m'en informer, monsieur l'agent.
Nous nous en souviendrons pour la prochaine fois.
Et maintenant, si vous voulez bien m'excuser, nous
sommes un peu en retard. Au revoir ! lança gaiement la mamie en redémarrant son véhicule.

– Avez-vous bu, madame ?

– Un bol de soupe au chou avant de sortir.

– Je voulais parler d'alcool, soupira le policier.

– J'ai mangé un chocolat à la liqueur mardi soir.
Est-ce que ça compte ?

Ben ne put s'empêcher de pouffer de rire.

L'agent Carr-Hammelmoo plissa les paupières.

– Alors voulez-vous m'expliquer pourquoi vous êtes en combinaison de plongée, et pourquoi votre sac est enveloppé de film alimentaire ?

Voilà qui n'allait pas être simple à expliquer.

– Parce que, parce que, euh… bredouilla mamie. Ils étaient fichus.

– Parce que nous sommes membres de l'Association des amateurs de film alimentaire, affirma Ben avec autorité. L'AAFA.

– Jamais entendu parler, lâcha l'agent avec dédain.

– C'est tout nouveau.

– Notre association ne compte pour l'instant que deux membres, ajouta la grand-mère. Et comme nous aimons la discrétion, nous tenons nos assemblées générales sous l'eau. D'où les combinaisons.

Le policier parut littéralement ahuri. La vieille dame parlait sans s'arrêter, apparemment dans l'espoir de l'ahurir davantage.

– Et maintenant, si vous voulez bien nous excuser, nous sommes réellement très pressés. Nous avons un rendez-vous important, à Londres, avec l'Association des amateurs de plastique à bulles. L'AAPB. Nous envisageons une fusion entre nos deux groupes, comprenez-vous.

L'agent Carr-Hammelmoo ne trouvait plus ses mots.

– Et eux, combien sont-ils ?

– Un seul ! Mais en unissant nos forces, nous pourrons économiser sur les sachets de thé, les photocopies, les trombones et ce genre de choses. Au revoir !

Sur ces mots, mamie écrasa l'accélérateur et le scooter démarra brutalement.

– ARRÊTEZ-VOUS ET NE BOUGEZ PLUS ! ordonna l'agent en tendant sa main potelée sous leur nez.

Ben se figea de terreur. Il n'avait pas encore douze ans, et il était déjà bon pour passer le restant de ses jours derrière les barreaux.

L'agent Carr-Hammelmoo se baissa pour se mettre à la hauteur de la vieille dame.

– Je vais vous y conduire.

24.

En eau trouble

– Juste ici, je vous prie, dit la grand-mère, qui donnait ses indications au policier depuis l'arrière du véhicule. En face de la Tour. Merci, vous êtes bien aimable.

L'agent Carr-Hammelmoo déchargea le lourd scooter de son coffre.

– Et la prochaine fois, n'oubliez pas que ces engins sont faits pour rouler sur les trottoirs, pas sur les routes, et encore moins sur l'autoroute !

– Oui, monsieur l'agent, répondit mamie avec un grand sourire.

– Bon, eh bien... bonne chance pour... euh... la fusion film alimentaire-plastique à bulles.

Là-dessus, l'agent remonta en voiture et disparut dans la nuit, laissant Ben et sa grand-mère admirer la superbe Tour de Londres, vieille de mille ans, sur l'autre rive du fleuve. Elle était particulièrement spectaculaire de nuit, avec ses quatre dômes éclairés et ses reflets qui scintillaient sur l'eau sombre et froide de la Tamise.

L'édifice était une ancienne prison, qui avait accueilli entre ses murs bien des célébrités (y compris la future reine Élisabeth Iʳᵉ, l'aventurier sir Walter Raleigh, le terroriste Guy Fawkes, le nazi Rudolf Hess, ainsi que Tokyo Hotel[1]). Mais à présent, c'était un musée qui abritait les inestimables joyaux de la Couronne, dans une maison

---

1. Non, en ce qui concerne Tokyo Hotel, c'est une blague ; mais il est vrai que j'aimerais bien les voir enfermés à jamais dans la Tour de Londres pour crimes contre la musique.

rien qu'à eux, nommée fort à propos la « Maison des Joyaux ».

Les deux improbables gangsters se tenaient sur le quai.

– Tu es prêt ? demanda la vieille dame (dont le masque était complètement embué, sans doute à cause de l'heure passée à l'arrière d'un véhicule de police).

– Oui, répondit Ben, tremblant d'excitation. Prêt !

Elle lui prit la main, compta : « un, deux, trois ! » et, à « trois », ils sautèrent dans l'eau trouble.

En plus d'être trouble, cette eau était gelée, même avec les combinaisons, et pendant un moment le garçon ne vit que du noir. C'était terrifiant et euphorisant à la fois.

Lorsque leurs têtes surgirent de l'eau, Ben sortit son tuba de sa bouche.

– Ça va, mamie ?

– Je me sens plus vivante que jamais.

Ils traversèrent le fleuve en petit chien. Ben, qui n'était pas très bon nageur, traînait un peu derrière. Il regretta secrètement de ne pas avoir emporté ses brassières, voire un matelas pneumatique.

Un énorme bateau de croisière approchait, chargé de toute une bande de jeunes qui écoutaient de la musique à bloc. Mamie était partie devant et Ben l'avait perdue de vue.

Oh, non !

Avait-elle été broyée par le navire ?

Sa grand-mère reposait-elle à présent dans une tombe liquide, au fond de la Tamise ?

– Allez, lambin ! lui cria-t-elle lorsque le bateau fut passé et qu'ils purent à nouveau se voir.

Ben soupira de soulagement et continua de faire le petit chien dans les eaux noires, profondes, froides et troubles.

D'après le schéma publié dans *Plomberie Hebdo*, le tuyau d'égout se trouvait juste à gauche de la porte des Traîtres. (C'était une entrée accessible uniquement à partir du fleuve, par où on faisait entrer de nombreux prisonniers pour les enfermer à vie ou les décapiter. Aujourd'hui, la porte des

Traîtres est murée, si bien que le seul accès depuis la Tamise est la canalisation.)

Et là, avec un soulagement immense, Ben trouva le tuyau. Il était partiellement immergé. L'intérieur paraissait obscur et lugubre, et l'écho des vaguelettes résonnait de manière sinistre.

Ben se mit soudain à douter de toute l'aventure. Il avait beau être passionné de plomberie, il n'avait plus aucune envie de ramper dans un vieil égout.

– Allons, Ben, lui dit sa grand-mère en barbotant dans l'eau. Nous n'avons pas fait tout ce chemin pour abandonner maintenant.

Si une petite vieille peut le faire, se dit-il, *j'en suis capable aussi.*

Il prit sa respiration et se propulsa dans le tuyau. La vieille dame le suivit de près.

Dedans, il faisait noir comme dans un four. Au bout de quelques mètres, Ben sentit des petites pattes lui courir sur la tête. Il entendit une sorte de *couic couic*, et quelque chose lui gratta le crâne.

On aurait dit des griffes.

Il posa une main sur sa tête.

Cette main rencontra quelque chose de gros et de velu.

Alors, il prit conscience de l'horrible vérité.

C'ÉTAIT UN RAT !

Un rat énorme s'accrochait à ses cheveux.

– AAAAAAAAAAAAHHHHH !

25.

Hanté par des spectres

Le hurlement de Ben résonna sur toute la longueur du tuyau. Le garçon donna un grand coup au rongeur, qui s'envola pour atterrir sur sa grand-mère, juste derrière lui.

– Pauvre petite bête, dit-elle. Sois gentil avec ce rat, mon poussin.

– Mais...

– Il était là avant nous. Allez, ne traînons pas. L'effet soporifique du gâteau au chocolat que j'ai fait manger aux gardes se dissipera bientôt.

Tous deux continuèrent d'avancer dans le boyau. C'était très mouillé, très glissant, et terriblement puant. (Malheureusement pour Ben et sa grand-mère, il s'avère que les excréments, même très anciens, continuent de sentir mauvais.)

Au bout d'un moment, Ben aperçut comme du gris dans tout ce noir. Le bout du tunnel, enfin !

Il se hissa hors des anciennes commodités en pierre, puis tendit la main dans le tuyau pour aider sa mamie. Tous deux étaient couverts, des pieds à la tête, d'une matière gluante, noire, pestilentielle. Répugnante.

Debout dans les toilettes froides et obscures, Ben avisa une fenêtre sans vitre dans le mur. Ils s'y faufilèrent et atterrirent sur le gazon glacial et humide de la cour.

Ils restèrent quelques instants étendus là, à regarder la lune et les étoiles. Ben prit la main de sa grand-mère. Et la serra fort.

– C'est incroyable, dit-il.

– Allons, mon poussin. Nous avons à peine commencé !

Il se leva et aida sa mamie à faire de même. La vieille dame entreprit immédiatement de dérouler le film alimentaire avec lequel elle avait protégé son sac.

Ce qui lui prit plusieurs minutes.

– Je me demande si je n'ai pas un peu exagéré la dose de film plastique. Enfin, deux précautions valent mieux qu'une.

Au bout d'un moment, lorsque le kilomètre de film fut enfin déroulé, mamie sortit de son sac un plan des lieux – découpé par Ben dans un livre de la bibliothèque de l'école – afin de localiser la Maison des Joyaux.

Il faut savoir que la cour de la Tour de Londres, de nuit, a une atmosphère particulièrement sinistre. On raconte en effet qu'elle est hantée par les spectres de ceux qui y ont perdu la vie. Au fil des ans, plusieurs gardiens s'en sont enfuis, terrifiés, en racontant qu'au cœur de la nuit ils avaient vu les fantômes de divers personnages historiques morts dans ces geôles.

Mais à présent, quelque chose d'encore plus étrange rôdait dans la cour.

Une mamie en combinaison d'homme-grenouille !

– Par ici, souffla-t-elle.

Ben la suivit dans un passage entre deux hauts murs de pierre. Son cœur battait si fort qu'il lui semblait sur le point d'éclater.

Quelques minutes plus tard, ils étaient devant la Maison des Joyaux, au-dessus des jardins et du monument dédié à ceux qui avaient été pendus ou décapités en ces lieux. Ben se demanda si sa grand-mère et lui risquaient l'exécution, au cas où ils seraient surpris à dérober les joyaux de la Couronne. Un frisson lui parcourut l'échine.

Deux Beefeaters, effondrés par terre, ronflaient bruyamment. Leurs rutilants uniformes rouges commençaient à être trempés et salis par le sol humide. Le breuvage spécial de mamie avait bien fonctionné.

Mais pour combien de temps ?

En passant devant eux, la vieille dame émit un

coin-coin familier avec son derrière. Les narines
d'un des hommes frémirent.

Ben retint son souffle – pas seulement à cause
de l'odeur, mais aussi parce qu'il avait peur.

Le prout de mamie allait-il réveiller le garde et tout faire rater ?

Une éternité s'écoula…

Et le garde ouvrit un œil.

Oh, non !

La grand-mère repoussa Ben en arrière et leva son sac à main en l'air, comme si elle comptait assommer le Beefeater avec.

Ça y est, pensa Ben. *On est bons pour la potence !*

Mais le garde referma son œil et se remit à ronfler.

– Mamie, je t'en supplie, tâche de contrôler ton derrière, gronda Ben entre ses dents.

– Moi ? Mais je n'ai rien fait ! Ça doit être toi, répondit-elle innocemment.

Ils avancèrent à pas de loup jusqu'à l'énorme porte en acier qui fermait la Maison des Joyaux.

– Bien, il me faut juste la perceuse de ton père, dit mamie en plongeant la main dans son sac.

Dans un vacarme trépidant, elle s'attaqua aux

serrures de la porte. Celles-ci tombèrent au sol une à une.

Soudain, les ronflements des gardes s'amplifièrent.

– ZZZZZZZZZZZZZZZZZ
ZZZZZZZZZZZZZZZZZZZZ
ZZZZZZZZZZZZZZZZZZZ
ZZZZZZZZZ!

Ben se figea comme une statue et sa grand-mère faillit en lâcher la perceuse. Mais les hommes continuèrent de dormir et, au bout de plusieurs minutes éprouvantes pour les nerfs, la porte fut enfin ouverte.

Mamie semblait épuisée. Des gouttes de sueur perlaient sur son front. Elle s'assit un instant sur un muret, puis sortit de son sac une bouteille thermos.

– Un peu de soupe au chou ? proposa-t-elle.

– Non merci, mamie. (Ben se tortillait, mal à l'aise.) Il faudrait qu'on y aille avant que les gardes se réveillent, tu sais.

– Courir, courir, courir, de nos jours vous ne faites que ça, vous les jeunes. La patience est une vertu, tu sais.

Elle se versa le reste de sa soupe dans le gosier et se leva.

– Un délice ! Bon, poursuivons.

L'énorme porte en acier s'ouvrit en grinçant, et Ben et sa grand-mère pénétrèrent dans la Maison des Joyaux.

Soudain, dans les ténèbres, des plumes noires s'agitèrent et vinrent les frapper au visage. Ben, surpris, hurla de nouveau.

– Chut ! fit sa mamie.

– Qu'est-ce que c'était que ça ? demanda le garçon alors que des créatures ailées disparaissaient dans le ciel noir. Des chauves-souris ?

– Non, mon poussin. Des corbeaux. Il y en a des dizaines, ici. Les célèbres corbeaux de la Tour de Londres sont là depuis des siècles.

– Cet endroit fiche les jetons, souffla Ben, l'estomac noué.

– Surtout la nuit, confirma sa grand-mère. Reste près de moi, mon garçon, car tu n'as encore rien vu…

26.

Une silhouette dans le noir

Un long couloir sinueux s'étirait devant eux. C'était là que les touristes du monde entier faisaient la queue pendant des heures pour pouvoir admirer les joyaux de la Couronne. La vieille dame et son petit-fils s'y engagèrent sur la pointe des pieds, dégoulinants d'eau putride et glacée.

Après un dernier virage, ils finirent par déboucher dans la salle d'exposition. Tel le soleil déchirant les nuages par un jour gris, les joyaux illuminèrent les visages de Ben et de sa mamie.

Les deux voleurs s'arrêtèrent, émerveillés, pour admirer les trésors déployés devant eux. Ils étaient encore plus magnifiques que tout ce qu'on peut imaginer. C'était, réellement la plus superbe collection d'objets précieux au monde.

Cher lecteur, ils n'étaient pas seulement beaux et d'une valeur astronomique ; ils représentaient aussi des siècles d'histoire. Il y avait là plusieurs couronnes royales et objets d'apparat :

- la couronne de saint Édouard, utilisée par l'archevêque de Canterbury lors des cérémonies de couronnement. Elle est en or, et décorée de saphirs et de topazes. Très classe !
- la couronne impériale d'apparat, sertie de trois mille – oui, trois mille – pierres précieuses, y compris la Deuxième Étoile d'Afrique (la deuxième plus grosse pierre taillée dans le plus gros diamant jamais découvert. Et, non, je ne sais pas où est la Première Étoile) ;
- la merveilleuse couronne impériale des Indes, incrustée d'environ six mille diamants, rubis et

émeraudes de toute beauté. Pas à ma taille, malheureusement ;

- la Cuiller d'Onction en or du XIIᵉ siècle, utilisée pour oindre le roi ou la reine d'huile sainte. Ne pas utiliser pour manger des Chocapic ;
- sans oublier l'Ampoule, un flacon en or en forme d'aigle qui contient ladite huile sainte. Une sorte de bouteille thermos mais vraiment très, très, très chic ;
- et enfin, les célèbres Globes et Sceptres. Ça fait pas mal de matériel.

Si les joyaux de la Couronne figuraient dans le catalogue de La Redoute, ils ressembleraient probablement à ceci :

La grand-mère de Ben sortit le cabas de supermarché qu'elle avait roulé dans son sac à main,
prête à y fourrer les joyaux de la Couronne.

– Bien, il ne reste plus qu'à briser cette vitre, chuchota-t-elle.

Ben la dévisagea, incrédule.

– Ça ne tiendra jamais là-dedans.

– Eh bien je regrette, mon poussin, lui répondit-elle tout bas. Il faut payer cinq pence pour avoir des sacs plastique au supermarché, de nos jours. Alors tu penses, je n'en ai pris qu'un.

La vitre était épaisse de plusieurs centimètres. Blindée.

Ben avait chipé plusieurs produits chimiques au labo de sciences de l'école, et les avait assemblés de manière qu'il fassent un gros…

BBBBBBBOOOOOOOOOUUUUUUUUMMMMMMMMMMM!!!!!!

… une fois allumés.

Ils collèrent les produits chimiques à la vitre avec

de la Patafix, dans laquelle mamie enfonça un bout d'une pelote de laine rose (la laine ferait une mèche parfaite). Elle sortit ensuite une boîte d'allumettes. Il ne leur restait plus qu'à s'éloigner suffisamment de l'explosion pour ne pas sauter avec le reste.

– Et maintenant, Ben, reculons le plus loin possible de cette vitre.

Tous deux allèrent s'abriter derrière un mur, déroulant la laine rose à mesure.

– Veux-tu allumer la mèche ? proposa la vieille dame.

Ben fit oui de la tête. Il en avait très envie, mais ses mains tremblaient à tel point qu'il n'était pas sûr d'y arriver. Il ouvrit la boîte. Il n'y avait que deux allumettes à l'intérieur.

Il voulut gratter la première, mais il était si nerveux qu'il la brisa en deux.

– Nom d'un petit bonhomme, chuchota sa grand-mère. Essaie encore.

Ben prit la seconde allumette.

Il tenta de l'enflammer, mais rien ne se passa. Un

peu d'eau du fleuve avait dû couler de la manche de sa combinaison : à présent, l'allumette et la boîte étaient trempées.

– Noooon ! s'écria-t-il, désespéré. Papa et maman avaient raison ! Je suis un pauvre nul ! Même pas capable de gratter une allumette.

Sa grand-mère le prit dans ses bras. Leurs combinaisons d'homme-grenouille grincèrent un peu pendant qu'ils se faisaient un câlin.

– Ne dis pas ça, Ben. Tu es un jeune homme formidable. Sincèrement. Depuis que nous passons tout ce temps ensemble, je suis cent fois plus heureuse que je ne pourrais le dire.

– C'est vrai ?

– Mais oui, c'est vrai ! Et tu es tellement malin ! Tu as mis au point ce coup extraordinaire, tout seul, alors que tu n'as que onze ans !

– Presque douze !

La grand-mère rit doucement.

– Tu vois ce que je veux dire, mon poussin.

Combien d'enfants de ton âge auraient fomenté un plan si audacieux ?

– Mais c'est une vaste perte de temps, puisqu'on ne va pas pouvoir prendre les joyaux de la Couronne !

– Ce n'est pas encore terminé, dit la mamie en sortant de son sac à main une boîte de soupe au chou. On peut encore essayer la bonne vieille force brute !

Elle tendit la boîte à son petit-fils. Il la prit avec un sourire, et se rapprocha de la vitrine.

– C'est parti ! lança-t-il en reculant son bras pour prendre de l'élan.

– Ne faites pas ça ! fit alors une voix dans l'ombre.

Ben et sa grand-mère se pétrifièrent de terreur.

Était-ce un fantôme ?

– Qui est là ? demanda le garçon d'une voix chevrotante.

Une silhouette s'avança dans la lumière.

C'était la reine d'Angleterre.

27.

Une audience devant la reine

– Mais enfin, qu'est-ce que vous faites là ? demanda Ben. Euh... je veux dire... Mais enfin, qu'est-ce que vous faites là, Votre Majesté ?

– J'aime à venir ici quand j'ai des insomnies, expliqua-t-elle.

Elle parlait avec cet accent aristocratique qui la caractérisait. Ben et sa grand-mère constatèrent avec étonnement qu'elle était en chemise de nuit et portait des chaussons fourrés en forme de petits corgis. (Les corgis sont les chiens de la reine. Elle en a plusieurs et elle les adore.) Elle arborait aussi sa couronne de cérémonie. C'était le plus extraordinaire de tous les joyaux de la Couronne : l'archevêque de Canterbury la lui avait posée sur la tête lorsqu'elle était devenue reine en 1953. La couronne, qui date de 1661, est en or serti de diamants, de rubis, de perles, d'émeraudes et de saphirs.

Elle en jetait, même pour la reine !

– Je viens ici pour réfléchir, poursuivit-elle. J'ai demandé à mon chauffeur de prendre la Bentley pour me conduire ici depuis Buckingham Palace. Je dois adresser mes vœux de Noël à la nation dans quelques semaines, et il faut que je réfléchisse attentivement à ce que je veux dire. On réfléchit bien mieux avec sa couronne sur la tête. Mais la question est : que faites-vous ici tous les deux ?

Ben et sa grand-mère se regardèrent, embarrassés.

C'était déjà pénible de se faire gronder en temps normal, mais se faire gronder par la reine en personne, c'était un tout autre niveau de gronderie, comme le montre ce graphique très simple :

NIVEAUX DE GRONDERIE

PAR UN PARENT
PAR UN PROFESSEUR
PAR LE PROFESSEUR PRINCIPAL
PAR UNE HÔTESSE DE L'AIR
PAR LA BIBLIOTHÉCAIRE
PAR LE FACTEUR
PAR UN CHEF SCOUT
PAR UN AGENT DE LA CIRCULATION
PAR LE GARDIEN DU PARC
PAR LE CURÉ
PAR UN POLICIER
PAR UN JUGE
PAR LA REINE

– En outre, pourquoi sentez-vous la crotte, tous les deux ? Alors ? J'attends.

– Je suis la seule responsable, Votre Majesté, déclara mamie, la tête basse.

– Non, c'est faux ! intervint Ben. C'est moi qui ai voulu que nous volions les joyaux de la Couronne. C'est moi qui l'ai persuadée de le faire.

– C'est vrai, mais ce n'est pas ce que je voulais dire. C'est moi qui ai tout déclenché en me faisant passer pour une voleuse de bijoux internationale.

– *Quoi ?* éclata Ben.

– Je vous demande pardon ? ajouta la reine. Tout cela est terriblement embrouillé.

– Voyez-vous, Votre Majesté, mon petit-fils détestait dormir chez moi le vendredi soir. Je l'ai entendu, un soir, au téléphone avec ses parents. Il se plaignait de s'ennuyer avec moi...

– Mais, mamie, je ne le pense plus du tout !

– Ne t'en fais pas, Ben, je sais que les choses ont changé depuis. Et puis, c'est vrai que j'étais barbante. Mes seuls plaisirs étaient manger du chou et jouer au Scrabble, et je savais bien, au fond, que tu détestais les deux. Alors, pour te distraire j'ai commencé à inventer des histoires en m'inspirant des livres que je lisais. Je t'ai raconté que j'étais une célèbre voleuse de bijoux appelée « le Chat noir »...

– Mais... et tous ces diamants que tu m'as montrés ? demanda le garçon, choqué et furieux d'avoir été trompé.

– Rien que du toc, mon poussin. De la verroterie. Je les ai trouvés dans une vieille boîte de fromage blanc, à une vente de charité.

Ben la regardait fixement. Il n'arrivait pas à y croire. Toute cette incroyable histoire, inventée de A à Z !

– Je n'en reviens pas que tu m'aies menti !

– Je... je... balbutia la grand-mère.

Il la foudroya d'un regard noir.

– Tout compte fait, tu n'es pas ma mamie gangster, lâcha-t-il.

Il y eut un silence assourdissant dans la Maison des Joyaux.

Suivi d'une toux assez forte, impérieuse et très,
très snob.

– Ahem !

28.

Écartelés, pendus, décapités

– Terriblement navrée de vous déranger, dit la reine avec son petit air pète-sec, mais pourrions-nous revenir aux questions importantes ? Je ne comprends toujours pas ce que vous faites tous les deux dans la Tour de Londres, en pleine nuit, à sentir la crotte et tenter de voler mes joyaux.

– C'est que voyez-vous, Votre Majesté, mes mensonges ont fait boule de neige, continua mamie en évitant le regard de Ben. Je ne voulais pas que cela aille si loin ; je me suis laissé emporter, je suppose. C'était si bon de passer du temps avec mon petit-fils, de m'amuser avec lui ! Cela me rappelait l'époque où je lui lisais des histoires le soir avant qu'il s'endorme. L'époque où il ne me trouvait pas ennuyeuse.

Ben se tortillait sur place, gêné. Il commençait à culpabiliser, lui aussi. Sa grand-mère lui avait menti et c'était affreux, d'accord – mais elle l'avait fait uniquement parce qu'elle était triste qu'il s'ennuie chez elle.

– Moi aussi, je m'amusais bien, souffla-t-il.

Elle lui sourit.

– Tant mieux, mon petit Benny. Je suis vraiment désolée, je...

– Ahem, toussota la reine.

– Ah, oui. Donc, avant que j'aie eu le temps de dire ouf, nous nous sommes retrouvés à mettre au point le fric-frac le plus audacieux de l'histoire mondiale. Nous sommes entrés par le vieil égout, au fait. Nous n'avons pas cette odeur en temps normal, Votre Majesté.

– J'espère bien que non.

– PPPPPPRRRRO
OOOOUUUUTTT
TTTT!!!!!!!!!!!!!!!

À présent, Ben avait *vraiment* des remords. Même si sa grand-mère n'était pas une voleuse de bijoux internationale, elle était tout sauf barbante. Elle l'avait aidé à mettre au point le casse, et ils étaient dans la Tour de Londres, à minuit, en train de parler à la reine !

Il faut que je fasse quelque chose pour l'aider.

– C'est moi qui ai eu l'idée du cambriolage, Votre Majesté, avoua-t-il. Je suis profondément désolé.

– Je vous en prie, n'arrêtez pas mon petit-fils, plaida alors sa mamie. Je ne veux pas que sa jeune vie soit gâchée. Je vous en supplie. D'ailleurs, nous avions l'intention de rendre les joyaux dès demain soir. Promis.

– Et vous imaginez que je vais vous croire, murmura la reine.

– C'est vrai ! s'exclama Ben.

– Faites ce que vous voulez de moi, Votre Majesté, continua la grand-mère. Faites-moi enfermer dans la Tour pour la fin de mes jours si vous y tenez, mais je vous en supplie, laissez partir le petit.

La reine semblait perdue dans ses pensées.

– Je ne sais vraiment pas quoi faire, finit-elle par déclarer. Votre histoire m'a touchée. Comme vous le savez, je suis grand-mère, moi aussi, et il arrive à mes petits-enfants de me trouver ennuyeuse.

– C'est vrai ? souffla Ben. Mais vous êtes la reine !

– Je sais ! répondit-elle avec un petit rire.

Ben était époustouflé. Jamais de sa vie il ne l'avait vue rire. D'habitude, elle était toujours terriblement sérieuse lorsqu'elle formulait ses vœux à la télévision pour Noël ou qu'elle ouvrait les séances du Parlement.

– Je suis peut-être reine, mais pour eux, je ne

suis qu'une vieille mamie assommante, continua-t-elle. Ils oublient que j'ai été jeune.

– Et qu'eux aussi seront vieux un jour, ajouta la grand-mère de Ben en lui envoyant un regard entendu.

– Exactement, ma chère ! Je trouve que la jeune génération devrait consacrer un peu plus de temps à l'ancienne.

– Pardon, Votre Majesté, dit Ben. Si je n'avais pas été si égoïste, à me plaindre que les vieilles personnes soient barbantes, rien de tout cela ne serait arrivé.

Il y eut un silence gêné.

La grand-mère farfouilla dans son sac à main et tendit à la reine un petit sachet ouvert.

– Une pastille Vichy, Votre Majesté ?

– Volontiers. (La reine en déballa une et se la fourra dans la bouche.) Seigneur, il y avait des années que je n'en avais mangé.

– Ce sont mes préférées, lui dit mamie.

– Et puis elles durent longtemps ! ajouta la reine en suçotant sa pastille. Savez-vous ce qui est arrivé au dernier qui a essayé de voler les joyaux de la Couronne ? reprit-elle plus sérieusement.

– Il a été écartelé, pendu, décapité ? s'enquit Ben avec ardeur.

– Croyez-le ou non, il a été gracié, leur apprit la reine avec un petit sourire.

– Gracié, Votre Majesté ?

– En 1671, un Irlandais nommé colonel Blood a tenté de les dérober, mais les gardes l'ont arrêté alors qu'il s'apprêtait à fuir. Il avait caché cette couronne-ci, celle que j'ai sur la tête en ce moment, sous son manteau, et l'a laissée tomber par terre juste à l'extérieur. Le roi Charles II a trouvé sa tentative tellement amusante qu'il lui a rendu la liberté.

– Je vais le googler, marmonna Ben.

– J'ignore ce que veut dire « googler », avoua sa grand-mère.

– Et moi donc ! s'esclaffa la reine. Bref, dans la pure tradition royale, c'est ce que je vais faire. Vous gracier tous les deux.

– Oh, merci, Votre Majesté ! chuchota mamie en lui baisant la main.

Ben tomba à genoux.

– Merci, merci, merci pour tout, Votre Majesté...

– Oui, bon, ne fayotez pas trop, dit la reine avec hauteur. Je déteste le fayotage. J'ai rencontré bien trop de fayots au cours de mon règne.

– Je suis absolument navrée, Votre Majestueuse Majesté royale, dit mamie.

– Vous voyez ? C'est exactement ce que je voulais dire ! Vous fayotez ! s'énerva la reine.

Ben et sa grand-mère se regardèrent, effarés. C'était tout de même difficile de ne pas fayoter ne serait-ce qu'un tout petit peu quand on s'adressait à la reine d'Angleterre en personne.

– Et maintenant, dépêchez-vous de disparaître, je vous prie, avant que les lieux soient envahis par les gardes. Et n'oubliez pas de me regarder à la télévision le jour de Noël !

29.

Les forces de l'ordre

L'aube pointait lorsqu'ils atteignirent le lotissement Tougris. Cette fois, il n'y avait pas eu de voiture de police pour les conduire à destination. Et le chemin était long, depuis Londres, sur un scooter pour personnes âgées. Ils sautèrent les ralentisseurs, hop hop hop, et entrèrent en ronronnant dans la rue de mamie.

– Quelle nuit ! soupira Ben.

– Oui, ma parole ! Nom d'un petit bonhomme, je me sens un peu raide d'être restée assise si longtemps sur cet engin, dit sa grand-mère en descendant son vieux corps fatigué du véhicule. Tu sais, je suis vraiment désolée, Ben, ajouta-t-elle après un court silence. Je ne voulais pas te décevoir. Mais c'était tellement agréable de passer du temps avec toi... Je n'avais pas envie que ça s'arrête.

Le garçon sourit.

– Ça ne fait rien. Je comprends. Et ne t'en fais pas. Tu es toujours ma mamie gangster !

– Merci, répondit-elle doucement. En tout cas, je crois bien que j'ai eu assez d'émotions pour toute une vie. Maintenant, je veux que tu rentres chez toi, que tu sois un bon garçon, et que tu te concentres sur ta plomberie.

– D'accord, c'est promis. Plus de casse du siècle ! dit Ben en riant.

Soudain, sa grand-mère se figea.

Puis elle leva la tête.

Ben entendit le bourdonnement d'un hélicoptère.

– Mamie ?

– Chut ! (Elle régla son appareil auditif et écouta attentivement.) Il y en a plusieurs. On dirait toute une flotte, même.

WIOU-WIOU-WIOU-WIOU-WIOU !

Des sirènes de voitures de polices se mirent à
hurler tout autour d'eux. Un instant plus tard,
des forces de l'ordre lourdement armées les encer-
claient. Ben et sa grand-mère ne voyaient même
plus les pavillons du lotissement, coincés comme
ils l'étaient derrière un mur de policiers casqués et

cuirassés. Le fracas des hélicoptères était si assourdissant, à présent, que mamie dut baisser le son de
son appareil auditif.

Une voix amplifiée par un mégaphone descendit d'un des hélicoptères :

– Rendez-vous, vous êtes cernés. Posez vos armes. Je répète, posez vos armes ou nous vous abattrons.

– Nous n'avons pas d'armes ! hurla Ben.

Sa voix n'avait pas encore mué et elle sortit plus aiguë qu'il ne l'aurait voulu.

– Ne discute pas avec eux, Ben. Lève les mains en l'air ! lui cria sa grand-mère par-dessus le vacarme.

Ils levèrent tous deux les mains. Un certain nombre de policiers particulièrement courageux s'avancèrent, fusils pointés sur Ben et sa mamie. Ils les poussèrent, les firent tomber et les immobilisèrent au sol.

– Pas un geste ! leur ordonna la voix venue de l'hélicoptère.

Comment pourrais-je bouger alors que j'ai un gros policier agenouillé sur le dos ? songea Ben.

Des mains gantées de cuir les palpèrent de la tête aux pieds et fouillèrent dans le sac à main de la vieille dame, sans doute à la recherche d'armes à feu. Si les policiers avaient été à la recherche de vieux mouchoirs, ils auraient été gâtés, mais ce n'était pas le cas et ils ne trouvèrent pas d'armes, bien sûr.

Ben et sa grand-mère furent ensuite menottés et remis sur leurs pieds. Alors, de derrière le mur d'uniformes surgit un vieux monsieur à très grand nez, affublé d'un chapeau mou.

C'était M. Parker.

Le voisin fouineur.

30.

Un paquet de sucre

– Alors comme ça, vous pensiez pouvoir dérober les joyaux de la Couronne, hein ? lâcha-t-il de sa voix nasillarde. Je sais tout de vos machinations criminelles. Eh bien, la fête est finie. Messieurs les agents, ils sont à vous. Enfermez-les au cachot et jetez la clé !

Les forces de l'ordre commencèrent à traîner les captifs dans la direction de deux véhicules qui les attendaient.

– Attendez une seconde, cria Ben. Si nous avons volé les joyaux de la Couronne, où sont-ils ?

– Bien sûr ! dit M. Parker. Il ne manque plus

que les preuves ! Tout ce qu'il nous faut pour vous envoyer à jamais derrière les barreaux, bande de fripouilles. Qu'on fouille le panier du scooter, tout de suite !

Un agent alla voir dans le panier. Il y trouva un gros paquet enveloppé de film alimentaire trempé et dégoulinant.

– Ah, voilà. Les joyaux doivent être là-dedans, affirma M. Parker, très sûr de lui. Donnez !

Il écrasa Ben et sa grand-mère d'un regard supérieur, puis se mit à dérouler le film plastique.

Il fallut un certain nombre de minutes pour que le gros paquet devienne un petit paquet. Enfin, M. Parker atteignit le bout du film.

– Aha, nous y voilà !

Une boîte de soupe au chou tomba par terre.

– Je peux la reprendre, monsieur Parker ? demanda la grand-mère. C'est mon déjeuner.

– Qu'on fouille son pavillon ! aboya-t-il alors.

Quelques policiers tentèrent d'enfoncer la porte

à coups d'épaule. Mamie les regarda, amusée, avant de dire l'air de rien :

– J'ai la clé ici, si vous préférez.

L'un des agents vint la lui prendre, plutôt penaud, et la remercia poliment.

Ben et sa grand-mère échangèrent un sourire.

L'homme ouvrit ensuite la porte, et des centaines de policiers (c'est du moins l'impression qu'on avait) chargèrent à l'intérieur. Ils passèrent toute la maison au peigne fin, mais finirent par en ressortir les mains vides.

– Pas de joyaux de la Couronne là-dedans, monsieur, dit l'un d'eux à M. Parker. Rien qu'un jeu de Scrabble, et des réserves assez abondantes de soupe au chou.

Le voisin devint cramoisi de fureur. Il avait convoqué la moitié des policiers du pays, et tout cela pour rien.

– Vous savez, monsieur Parker, lui dit un agent, vous avez beaucoup de chance que nous ne vous arrêtions pas pour mobilisation abusive des forces de police...

– Attendez ! Ce n'est pas parce qu'ils n'ont pas les joyaux sur eux ni dans la maison qu'ils ne les ont pas volés. Je suis sûr de ce que j'ai entendu. Qu'on fouille... le jardin ! Oui ! Creusez !

Le policier leva une main pour l'apaiser.

– Monsieur Parker, nous ne pouvons tout de même pas...

Soudain, un éclair de triomphe illumina le regard du voisin.

– Minute, minute. Vous ne leur avez pas demandé où ils étaient ce soir. Je *sais* qu'ils sont allés voler les joyaux de la Couronne. Et je vous parie qu'ils n'ont pas d'alibi !

Le policier se tourna vers Ben et sa grand-mère, les sourcils froncés.

– En fait, ce n'est pas une mauvaise idée, reconnut-il. Voulez-vous bien me dire où vous étiez ce soir ?

Pendant ce temps, M. Parker rayonnait de joie.

Mais juste à ce moment-là, un autre agent s'approcha d'eux. Il y avait quelque chose de familier dans sa lourde silhouette, et en voyant sa moustache, Ben sut pourquoi.

— Chef, on vient de recevoir un appel pour vous sur la... commença l'agent Carr-Hammelmoo, un talkie-walkie à la main.

Il s'interrompit d'un seul coup en voyant Ben et sa mamie.

— Tiens donc ! lança-t-il. Les amis du film plastique !

— Agent Carr-Hammel ! dit Ben.

— Hammel*moo* ! le corrigea le policier.

— Pardon, Hammelmoo, oui. Content de vous revoir !

L'officier supérieur les regardait sans comprendre.

— Comment ça ? dit-il.

— Le petit gars et sa grand-mère... ils forment

à eux deux l'Association des amateurs de film alimentaire. Ils se sont rendus à une assemblée générale à Londres, ce soir. En fait, c'est moi-même qui les y ai déposés.

– Donc, ils n'étaient pas en train de voler les joyaux de la Couronne ?

L'agent éclata de rire.

– Oh, non ! Ils comptaient fusionner avec l'Association des amateurs de plastique à bulles. Voler les joyaux de la Couronne, vraiment ! Quelle idée !

Il sourit à Ben et à sa grand-mère.

M. Parker, lui, était encore tout rouge.

– Mais… mais… ils l'ont fait ! Ce sont eux ! Ce sont des malfaiteurs, je vous dis !

Pendant qu'il s'époumonait, l'officier supérieur prit le talkie-walkie que lui avait apporté l'agent.

– Ouais. Hm-mm. D'accord. Merci, dit-il avant de se tourner vers Ben et sa grand-mère. C'étaient les Opérations spéciales. Je leur ai demandé de vérifier si les joyaux de la Couronne étaient toujours à leur place. Ils y sont, en effet. Désolé, madame. Et toi aussi, mon garçon, je te présente mes excuses. On va vous retirer ces menottes tout de suite.

M. Parker semblait se racornir à vue d'œil.

– Non, ce n'est pas possible...

– Écoutez, monsieur Parker. Si j'entends encore un mot de vous, vous allez passer la nuit au poste !

L'officier tourna vivement les talons et rejoignit une des voitures de patrouille, suivi de l'agent Carr-Hammelmoo, qui salua Ben et sa grand-mère en partant.

Tous deux, toujours menottés ensemble par les poignets, allèrent voir M. Parker.

– Ce que vous avez entendu, lui dit Ben, ce n'étaient que des histoires. J'inventais des aventures avec ma mamie. Monsieur Parker, je crois que vous avez laissé votre imagination vous emporter...

– Mais... mais... mais... postillonnait le voisin.

– Moi ? Une voleuse de bijoux internationale ! ricana mamie.

Tous les policiers se mirent à rire aussi.

– Il faut être un peu idiot pour croire une chose pareille, ajouta-t-elle, après quoi elle demanda pardon à son petit-fils à voix basse.

– Y a pas de mal, lui chuchota-t-il en retour.

Les policiers leur retirèrent les menottes, se dépêchèrent de remonter dans leurs voitures et leurs fourgons, et quittèrent le lotissement Tougris sur les chapeaux de roues.

– Pardon du dérangement, madame, dit l'un d'eux par la fenêtre. Et bonne journée.

Les hélicoptères disparurent dans le soleil levant. Le vent de leurs rotors fit également décoller le précieux chapeau mou de M. Parker et l'envoya dans une flaque de boue.

Mamie s'approcha de l'homme, qui restait planté là, tête nue, devant chez elle.

– Et si jamais vous avez besoin d'emprunter un paquet de sucre... lui dit-elle gentiment.

– Oui...

– ... ne venez pas frapper chez moi, car je vous répondrai de vous le fourrer où je pense ! conclut-elle avec un sourire angélique.

31.

Une lumière dorée

Le soleil s'était levé et le lotissement Tougris baignait dans une lumière dorée. Il y avait de la rosée au sol, et une brume irréelle donnait à la rangée de petits pavillons un aspect presque magique.

– Ah, là là, soupira mamie. Tu ferais bien de courir chez toi, mon petit Benny, avant que tes parents se réveillent.

– Ils n'en ont rien à faire, de moi, marmonna Ben.

– Mais si, le contredit sa grand-mère en posant un bras hésitant sur ses épaules. Simplement, ils ne savent pas bien le montrer.

– Peut-être.

Ben bâilla comme il n'avait jamais bâillé de sa vie.

– Ouaahhhh ! Je suis crevé. Quelle nuit fantastique !

– La plus palpitante de mon existence, Ben. Je n'aurais voulu rater ça pour rien au monde, dit la vieille dame avec un sourire malicieux.

Puis elle inspira profondément.

– Ah, la joie d'être en vie.

Ses yeux s'emplirent alors de larmes.

– Ça va, mamie ? s'enquit Ben d'une voix tendre.

Elle tenta de détourner son visage.

– Oui, je vais bien, mon enfant, je t'assure, dit-elle.

Mais sa voix tremblait d'émotion. Et soudain, Ben comprit que quelque chose ne tournait pas rond, mais alors pas rond du tout.

– Mamie, je t'en prie, tu peux tout me dire.

Il lui prit la main. Sa peau était douce, mais toute fine, usée. Fragile.

– Eh bien, commença-t-elle avec hésitation. Je t'ai aussi menti à propos d'autre chose, mon poussin.

Le cœur de Ben se serra.

– Quoi donc ?

Il lui pressa la main pour la rassurer.

– Vois-tu, quand le docteur m'a donné mes résultats d'examens la semaine dernière, je t'ai dit que tout allait bien. Ce n'était pas vrai. Je ne pète pas les flammes. (Elle se tut un instant.) La vérité, c'est que j'ai un cancer.

– Non, non... gémit Ben, les larmes aux yeux.

Il avait entendu parler du cancer, suffisamment pour savoir que c'était une maladie grave, très grave.

– Juste avant que tu le voies à l'hôpital, ce médecin venait de m'annoncer que mon cancer était... très avancé.

– Il te reste combien de temps ? Il te l'a dit ?

– Il a dit que je ne vivrais pas jusqu'à Noël.

Ben serra sa mamie le plus fort possible dans ses bras. Il aurait voulu lui communiquer ainsi sa force vitale. Les larmes roulaient sur ses joues. C'était trop injuste ! Il venait à peine de faire vraiment connaissance avec sa grand-mère, pendant quelques semaines à peine, et voilà qu'il allait la perdre !

– Je ne veux pas que tu meures.

Elle le contempla pendant un moment.

– Personne n'est éternel, mon garçon. Mais j'espère que tu n'oublieras jamais ta vieille grand-mère barbante !

– Tu n'es pas barbante du tout. Tu es un vrai gangster ! Et on a failli voler les joyaux de la Couronne, pas vrai ?

Mamie rit doucement.

– Oui, mais ne le dis à personne, surtout. Tu risquerais de gros ennuis. Ça restera notre petit secret.

– Et celui de la reine !

– Ah, oui ! Quelle adorable vieille dame.

– Je ne t'oublierai pas, mamie. Tu resteras toujours dans mon cœur.

– C'est la chose la plus gentille qu'on m'ait jamais dite, tu sais ?

– C'est que je t'aime beaucoup !

– Et moi aussi je t'aime, Ben. Mais tu devrais te dépêcher de rentrer, maintenant.

– Je ne veux pas te quitter.

– C'est très gentil à toi, mon poussin, mais si tes parents se réveillent et voient que tu n'es pas là, ils vont vraiment beaucoup s'inquiéter.

– Mais non.

– Oh, que si. Allez, Ben, sois raisonnable.

Il se leva à contrecœur et aida sa mamie à se lever de la marche.

Puis il la serra fort dans ses bras et l'embrassa sur la joue. Son menton qui piquait ne le dérangeait plus. En fait, il aimait plutôt bien.

Il aimait le sifflement de son appareil auditif. Il aimait son odeur de chou. Et par-dessus tout, il aimait ces prouts qu'elle lâchait sans même s'en rendre compte.

Il aimait tout ce qui faisait qu'elle était elle.

— Au revoir, lui dit-il doucement.

— Au revoir, Ben.

32.

Un sandwich familial

En arrivant chez lui, Ben vit tout de suite que la petite auto marron n'était pas devant la maison. Il était pourtant encore très tôt.

Où pouvaient bien être partis ses parents à une heure pareille ?

Quoi qu'il en soit, il remonta par la gouttière et passa par la fenêtre pour rentrer dans sa chambre.

C'était fatigant, de grimper ainsi ; en plus, il n'avait pas dormi de la nuit, et la combinaison de plongée pesait lourd. Il poussa ses *Plomberie Hebdo* du pied pour les cacher sous son lit ; puis, le plus silencieusement possible, il enfila son pyjama et se coucha.

Il était sur le point de fermer les yeux lorsqu'il entendit le bourdonnement du moteur de l'auto, le cliquetis de la porte d'entrée, puis les sanglots incontrôlables de ses parents.

– On l'a cherché partout, dit papa en reniflant. Je ne sais plus quoi faire.

– C'est ma faute, quelle idiote ! ajouta maman à travers ses larmes. Nous n'aurions jamais dû l'inscrire à ce concours. Il doit avoir fait une fugue...

– J'appelle la police.

– Oui, il le faut. On aurait déjà dû le faire il y a des heures.

– Il faut remuer tout le pays... Allô, allô, la police, s'il vous plaît... C'est mon fils... Je ne trouve plus mon fils...

Ben était bourrelé de remords. C'était donc vrai que ses parents se souciaient de lui !

Et pas qu'un peu.

Il bondit de son lit, surgit de sa chambre et

dévala l'escalier pour leur sauter au cou. Son père en lâcha le téléphone.

– Oh, mon garçon ! Mon garçon ! répétait-il.

Il le serra dans ses bras, plus fort qu'il ne l'avait jamais fait. Maman l'enlaça aussi, jusqu'à ce qu'ils forment un gros sandwich familial. Un sandwich au Ben.

– Ben ! Dieu merci, tu es de retour ! gémit sa mère. Où étais-tu passé ?

– J'étais avec mamie. Elle… elle est très gravement malade, ajouta-t-il tristement.

Mais il lut sur les traits de ses parents qu'il ne leur apprenait rien.

– Oui… avoua son père, gêné. J'ai bien peur qu'elle…

– Je sais. Mais je n'en reviens pas que vous ne m'ayez rien dit. C'est ma grand-mère, quand même !

– Tu as raison. Et c'est ma mère, aussi. Pardon de ne pas t'en avoir parlé, mon fils. Je ne voulais pas te bouleverser…

Soudain, Ben remarqua tout le chagrin qu'il y avait dans les yeux de son père.

– Ça ne fait rien, p'pa.

– Ta mère et moi, nous n'avons pas fermé l'œil de la nuit. On t'a cherché partout, ajouta ce dernier en le serrant encore plus fort. Nous n'aurions jamais pensé à aller voir chez ta mamie : tu disais toujours qu'elle était barbante !

– Je me trompais. C'est la meilleure mamie du monde, en fait.

Son père sourit.

– C'est gentil. Mais tu aurais quand même pu nous dire où tu allais.

– Je suis désolé. Je vous ai tellement déçus au concours de danse que je pensais que vous vous fichiez complètement de moi.

– Se ficher de toi ? reprit son père, stupéfait. Mais nous t'aimons !

– Tu n'imagines pas à quel point, Ben ! ajouta sa mère. Ne crois jamais autre chose. Qu'est-ce qu'on en a à faire, d'une compétition de danse idiote présentée par Flavio Flavioli ? Je suis fière de toi, quoi que tu fasses.

– Nous le sommes tous les deux, précisa papa.

À présent, tout le monde pleurait et souriait, et on avait du mal à savoir si c'étaient des larmes de joie ou de tristesse. Cela n'avait pas grande importance, car c'était sans doute un mélange des deux.

– Et si on allait prendre le thé chez mamie ? proposa maman.

– Oui, dit Ben. Ce serait chouette.

– Et puis tu sais, ton père et moi avons discuté, poursuivit-elle en lui prenant la main. J'ai trouvé tes magazines de plomberie.

– Mais…

– Ce n'est pas grave. Tu n'as pas à avoir honte. Si c'est ton rêve, fonce !

– C'est vrai ?

– Oui ! lança son père. Nous ne voulons que ton bonheur.

– Seulement, reprit sa mère… papa et moi pensons que si jamais tu avais du mal à percer dans la plomberie… ce serait important que tu puisses te rabattre sur autre chose…

– Me rabattre ?

Il ne comprenait déjà pas ses parents en temps normal, mais alors là…

– Oui, dit son père. Et nous savons que la danse de salon n'est pas ton truc...

– Non, confirma-t-il avec soulagement.

– Alors que penserais-tu de la danse sur glace ? demanda sa mère.

Ben la dévisagea fixement.

Pendant un long moment, elle le regarda droit dans les yeux, puis finalement elle éclata de rire. Et puis papa rit aussi, et, même s'il avait encore des larmes sur les joues, Ben ne put s'empêcher de rire avec eux.

33.

Silence

Après cela, l'ambiance s'améliora nettement entre Ben et ses parents. Son père le conduisit même à la quincaillerie pour acheter du matériel de plomberie, et ils passèrent un après-midi très agréable à démonter un siphon.

Puis, une semaine avant Noël, le téléphone sonna chez eux tard le soir.

Deux heures après, Ben, son père et sa mère étaient réunis autour du lit de la grand-mère. Elle était dans un centre de soins palliatifs, c'est-à-dire un endroit où vont les gens quand l'hôpital ne peut plus les soigner. Elle n'avait plus très longtemps à vivre. Quelques heures, peut-être. Les infirmières disaient qu'elle pouvait s'en aller à tout moment.

Ben était assis, anxieux, au chevet de sa mamie. Même si elle avait les yeux fermés et ne paraissait pas capable de parler, se trouver dans cette chambre avec elle était une expérience d'une intensité incroyable.

Papa faisait les cent pas au pied du lit sans savoir quoi dire.

Maman regardait devant elle sans savoir quoi faire.

Ben, lui, tenait simplement la main de sa grand-mère.

Il ne voulait pas qu'elle soit toute seule pour s'éteindre.

Ils écoutaient sa respiration râpeuse. C'était un bruit affreux. Mais un seul autre bruit pouvait être pire.

Le silence.

Cela voudrait dire qu'elle ne serait plus là.

À la surprise générale, mamie battit soudain des paupières et ouvrit les yeux. Elle sourit en les voyant tous les trois.

– Je suis… affamée, dit-elle d'une voix faible.

Elle plongea la main sous ses draps et en sortit quelque chose enveloppé dans du film plastique, qu'elle commença à dérouler.

– Qu'est-ce que c'est que ça ? lui demanda Ben.

– Juste une tranche de gâteau au chou. Franchement, la nourriture qu'on nous sert ici est *infecte*.

Un peu plus tard, papa et maman allèrent chercher du café au distributeur. Ben, lui, ne voulait pas quitter sa grand-mère une seconde. Il lui prit la main. Elle était sèche, et si légère, cette main…

Lentement, sa mamie se tourna vers lui. Elle n'avait plus beaucoup de temps, Ben le voyait bien. Elle lui fit un clin d'œil.

– Tu seras toujours mon petit Benny, murmura-t-elle.

Il se rappela combien il avait détesté ce surnom. À présent, il l'aimait beaucoup.

– Je sais, répondit-il avec un sourire. Et tu seras toujours ma mamie gangster.

Plus tard, une fois qu'elle fut partie pour de bon, Ben rentra chez lui avec ses parents, sur la banquette arrière de l'auto marron. Tous étaient épuisés à force d'avoir pleuré. Pendant ce temps, des tas de gens faisaient leurs courses de Noël, les rues étaient emplies de voitures, et il y avait une longue file d'attente devant le cinéma. Ben n'en revenait pas que la vie continue normalement alors qu'un événement si important venait de se produire.

L'auto prit un virage et s'approcha de la petite rangée de boutiques.

– Est-ce que je peux passer chez le marchand de journaux ? J'en ai pour une minute.

Papa gara la voiture et, comme il tombait une neige légère, Ben se rendit seul dans la boutique de Raj.

DING ! fit la sonnette lorsqu'il entra.

– Aah, jeune Ben ! s'exclama Raj.

Le marchand remarqua immédiatement sa triste mine.

– Qu'est-ce qui ne va pas… ?

– Raj… Ma grand-mère vient de mourir.

Bizarrement, le seul fait de prononcer ces mots le fit de nouveau pleurer.

Voyant cela, Raj se hâta de sortir de derrière son comptoir pour le prendre dans ses bras.

– Oh, Ben, je suis désolé pour toi. Il y avait un moment que je ne l'avais pas vue. Je me disais bien qu'elle devait être malade.

– Oui. Et je voulais juste vous dire, Raj, continua Ben en reniflant : merci de m'avoir remonté les bretelles l'autre fois. Vous aviez raison, elle n'était pas barbante du tout. Elle était incroyable.

– Je ne voulais pas te remonter les bretelles, jeune Ben. Je me disais juste que tu n'avais sans doute jamais pris le temps de bien la connaître.

– Vous aviez vu juste. Elle était bien plus intéressante que je ne l'avais imaginé.

Ben essuya ses larmes sur sa manche.

Raj se mit à fouiller dans la boutique.

– Attends... J'ai des mouchoirs en papier quelque part. Où sont-ils passés ? Ah, oui ! Sous les autocollants de football, bien sûr. Tiens.

Il ouvrit le paquet et passa un mouchoir à Ben, qui s'en tamponna les yeux.

– Merci, Raj. Dix paquets pour le prix de neuf ? demanda-t-il avec un sourire.

– Non, non, non ! répondit le marchand en pouffant de rire.

– Quinze pour le prix de quatorze ?

L'homme posa une main sur son épaule.

– Tu ne comprends pas, dit-il. C'est offert par la maison !

Ben en resta sans voix. Dans toute l'histoire mondiale, Raj n'avait jamais rien donné gratuitement. C'était inouï. C'était fou. C'était... cela allait le faire pleurer s'il n'y prenait pas garde.

– Merci beaucoup, Raj. Il faut que j'aille retrouver mes parents, maintenant. Ils m'attendent dehors.

– Oui, oui, mais juste un instant... J'ai un cadeau

de Noël pour toi quelque part, Ben. Où peut-il donc être ?

L'homme se remit à farfouiller dans sa petite boutique encombrée.

Les yeux du garçon s'illuminèrent. Il adorait les cadeaux.

– Oui, ici, juste derrière les œufs de Pâques ! Trouvé ! s'exclama Raj en brandissant un sachet de pastilles Vichy.

Ben était un peu déçu, mais il fit de son mieux pour le cacher.

– Ouah ! Merci, Raj, dit-il en sortant son meilleur jeu d'acteur. Tout un paquet de pastilles Vichy !

– Non, juste une, répondit le marchand, qui ouvrit le sachet, sortit une pastille et la lui tendit. C'étaient les bonbons préférés de ta grand-mère.

– Je sais, dit Ben.

Et il sourit.

34.

Un déambulateur

L'enterrement eut lieu le soir de Noël. C'était le premier auquel Ben assistait. Il trouva cela bizarre. Le cercueil était posé devant tout le monde dans l'église, les personnes présentes marmonnaient des cantiques qu'elles ne connaissaient pas, et un prêtre qui n'avait jamais rencontré sa grand-mère fit sur elle un discours ultra-ennuyeux.

Ce n'était pas la faute du curé, mais il aurait pu être en train de pérorer à propos de n'importe quelle petite vieille qui venait de mourir. Il raconta longuement, d'une voix atrocement monotone, combien elle aimait visiter les vieilles églises et avait toujours été bonne envers les animaux.

Ben avait envie de crier. Il aurait voulu expliquer à son père et à sa mère, à ses oncles et tantes, à tous ceux qui étaient là quelle grand-mère incroyable elle avait été. Et quelles histoires fantastiques elle savait raconter.

Et par-dessus tout, il avait envie de conter l'aventure merveilleuse qu'il avait partagée avec elle, de clamer haut et fort qu'ils avaient rencontré la reine et failli voler les joyaux de la Couronne.

Mais personne ne l'aurait cru. Il n'avait que onze ans. Tout le monde aurait supposé qu'il fabulait.

Lorsqu'ils rentrèrent chez eux, la plupart des gens présents à l'église envahirent la maison. Ils burent des litres de thé, dévorèrent des montagnes de mini-sandwichs et de friands à la saucisse. C'était bizarre de voir les décorations de Noël accrochées dans un moment aussi triste. Au début, les gens parlèrent de sa mamie, mais assez vite ils se mirent à bavarder de choses et d'autres.

Ben, assis tout seul sur le canapé, écoutait parler les adultes. Sa grand-mère lui avait laissé tous ses livres, et il y en avait maintenant de grandes piles plein sa chambre. Il était tenté d'aller se cacher parmi eux.

Au bout d'un moment, une petite vieille à l'air très doux traversa lentement la pièce avec son déambulateur et vint s'asseoir à côté de lui sur le canapé.

– Tu dois être Ben, dit-elle. Tu ne te souviens pas de moi, n'est-ce pas ?

Il la dévisagea.

Elle avait raison, il ne se souvenait pas d'elle.

– La dernière fois que je t'ai vu, c'était pour ton premier anniversaire, ajouta-t-elle.

Pas étonnant que je n'en aie aucun souvenir ! pensa Ben.

– Je suis la cousine de ta mamie, Edna, se présenta-t-elle. Ta grand-mère et moi jouions ensemble lorsque nous avions ton âge. Je suis tombée il y a quelques années, et après cela je n'ai plus pu me débrouiller toute seule. On m'a envoyée en maison de retraite. Ta mamie était la seule personne qui venait me voir.

– C'est vrai ? On croyait qu'elle ne sortait jamais…

– Et pourtant si, elle me rendait visite une fois par mois. Ce n'était pas simple pour elle : elle avait trois changements d'autobus. Je lui en étais très reconnaissante.

– C'était quelqu'un d'exceptionnel.

– En effet. Incroyablement bonne et attentionnée. Je n'ai pas d'enfants ni de petits-enfants, vois-tu, alors ta grand-mère et moi, nous nous installions dans le salon de la maison de retraite et nous jouions au Scrabble pendant des heures.

– Au Scrabble ?

– Oui. Et elle m'a dit que tu aimais beaucoup ce jeu, toi aussi.

Ben ne put s'empêcher de sourire.

– J'adore !

Et contre toute attente, il se rendit compte qu'il ne mentait pas. Avec le recul, il comprenait qu'il avait vraiment aimé y jouer. Maintenant que sa mamie n'était plus là, chacun des moments qu'il avait passés avec elle lui semblait précieux. Encore plus précieux que les joyaux de la Couronne.

– Elle parlait sans cesse de toi, ajouta Edna. Ta chère vieille grand-mère disait que tu étais la lumière de sa vie. Elle disait qu'elle attendait avec impatience le vendredi pour te voir. C'était le meilleur moment de la semaine, pour elle.

– Pour moi aussi.

– Eh bien, si tu aimes le Scrabble, passe donc un de ces jours faire une petite partie à la maison de retraite, lui proposa Edna. Je vais avoir besoin d'un adversaire, maintenant que ta mamie n'est plus là.

– Ce serait super.

Plus tard ce soir-là, pendant que ses parents regardaient le numéro Spécial Noël de *Master Danse avec les Stars*, Ben s'échappa de sa chambre par la gouttière. Sans un bruit, il sortit son vélo du garage et pédala une dernière fois jusqu'à la maison de sa grand-mère.

La neige tombait. Elle crissait sous les roues de sa bicyclette. Ben regardait les flocons descendre et se poser doucement sur le sol, sans faire très attention au chemin. Il pouvait le suivre les yeux fermés, désormais. Il avait fait ce trajet à vélo tellement de fois, ces dernières semaines, qu'il en connaissait la moindre bosse et le moindre creux.

Il s'arrêta devant le petit pavillon de sa mamie. La neige commençait à tenir sur le toit, le courrier s'amassait sur le seuil, les lumières étaient toutes éteintes et un panneau « à vendre », d'où gouttaient des stalactites, était planté dehors.

Même ainsi, Ben s'attendait à demi à voir la vieille dame à la fenêtre.

Le regardant avec son petit sourire plein d'espoir.

Bien sûr, elle n'était pas là. Elle était partie pour toujours.

Mais elle n'était pas partie de son cœur.

Ben écrasa une larme, respira à fond et rentra chez lui.

En tout cas, il aurait une sacrément bonne histoire à raconter à ses petits-enfants, un jour.

Post-scriptum

« Noël est un moment particulier de l'année »,
dit la reine.

Elle avait retrouvé son sérieux habituel, assise
avec majesté dans un fauteuil ancien, à Buckingham Palace. Une fois de plus, elle délivrait son
message annuel à la nation.

Papa, maman et Ben venaient de terminer le déjeuner de Noël et, comme tous les ans, ils s'étaient blot-
tis ensemble dans le canapé, avec de grandes tasses de
thé, pour assister à l'intervention télévisée de la reine.

« Un moment fait pour que les familles se retrou-
vent et se réjouissent ensemble, poursuivit Sa Majesté.

Toutefois, n'oublions pas les personnes âgées. Il y a quelques semaines, j'ai rencontré une dame d'environ mon âge et son petit-fils, à la Tour de Londres. »

Ben, mal à l'aise, remua dans le canapé. Il jeta un regard à ses parents, mais ceux-ci étaient absorbés par l'écran et ne remarquaient rien d'autre.

« Cela m'a rappelé que les jeunes devraient montrer un peu plus de gentillesse envers leurs aînés. Si vous êtes une jeune personne et que vous regardez ceci en ce moment, pensez par exemple à céder votre place assise à une personne âgée dans l'autobus. Ou bien, aidez-la à porter ses courses. Faites une partie de Scrabble avec nous. Et pourquoi pas nous apporter un bon sachet de pastilles Vichy, de temps en temps ? Nous, les vieilles personnes, adorons croquer des pastilles de menthe. Et surtout, jeunes gens de ce pays, je veux que vous vous souveniez de ceci : nous, les vieux, ne sommes absolument pas ennuyeux. Allez savoir… nous pourrions peut-être même vous choquer, un de ces jours. »

Là-dessus, avec un sourire malicieux, la reine souleva sa jupe devant la nation entière, et montra sa culotte à l'effigie de l'Union Jack.

Papa et maman en recrachèrent leur thé sur le tapis.

Mais Ben, lui, se contenta de sourire.

La reine est un vrai gangster, elle aussi, songeat-il. *Exactement comme ma mamie !*

Remerciements

J'aimerais remercier ici l'immense Tony Ross, pour ses illustrations magiques.

Et je tiens à vous remercier, vous, les enfants, de lire mes livres. Je me sens sincèrement honoré par les lettres et les dessins que vous m'envoyez, et enchanté par vos visites lors de mes séances de dédicaces. Décidément, j'adore vous raconter des histoires. J'espère pouvoir bientôt en imaginer d'autres.

Et continuez de lire, c'est bon pour vous !

Dans la même collection

Joe millionnaire
David Walliams
Illustré par Tony Ross

Monsieur Kipu
David Walliams
Illustré par Quentin Blake

Madame Pamplemousse
et ses fabuleux délices
Rupert Kingfisher
Illustré par Sue Hellard

Madame Pamplemousse
et le café à remonter le temps
Rupert Kingfisher
Illustré par Sue Hellard

Madame Pamplemousse
et la confiserie enchantée
Rupert Kingfisher
Illustré par Sue Hellard

43, rue du Vieux-Cimetière
Trépassez votre chemin
Kate Klise
Illustré par M. Sarah Klise

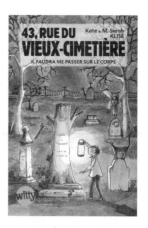

43, rue du Vieux-Cimetière
Il faudra me passer sur le corps
Kate Klise
Illustré par M. Sarah Klise

Will Gallows
Duel dans la mine
Derek Keilty
Illustré par Jonny Duddle

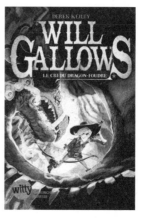

Will Gallows
Le Cri du dragon-foudre
Derek Keilty
Illustré par Jonny Duddle

À paraître en avril 2013

La Malédiction des cornichons
Siobhan Rowden
Illustré par Mark Beech

Composition Nord Compo
Impression ⬛ Grafica Veneta en février 2013
Numéro d'édition : 20572/01
Imprimé en Italie